D0119466

afgeschreven

Actie!

Actie!

MARION
VAN DE
COOLWIJK

Topjob!
Acteur gezocht v

De Nederlandse
Kinderjury
2012

©CPNB

www.defonteinkinderboeken.nl

© 2011 Marion van de Coolwijk
Voor deze uitgave:
© 2011 Uitgeverij De Fontein, Utrecht
Omslagafbeelding: iStockphoto
Omslagontwerp: Miriam van de Ven
Grafische verzorging: Zeno

ISBN 978 90 261 4432 5
NUR 284

Lover of loser

Regisseur: Dave Schram
Jaar: 2009
Genre: Drama
Cast: Thomas Acda en Gaite Jansen
De vijftienjarige Eva kan niet opschieten met haar
nieuwe stiefvader. Ze is bang dat hij haar wil
misbruiken, maar haar moeder gelooft haar niet. Ze is
verliefd op Mees, maar denkt dat hij al een vriendin
heeft. Ze voelt zich eenzaam. Dan ontmoet ze de vlotte
Ricardo die haar helemaal inpakt met leuke kleren en
gladde praatjes.

'Wat ben jij een ongelooflijke loser, zeg!' De woorden kwamen met een rochelend geluid uit Iris' mond en haar ogen spuwden vuur. 'Je had kunnen ingrijpen. Hoor je me?' Haar handen klauwden aan de jas van Dez en ze schudde hem door elkaar. 'Mijn vriendin is beroofd en mishandeld en jij stond erbij en keek

5

ernaar. Hoe durf je hier nog te komen!'

'Ik... ik kon het niet,' stamelde Dez en hij rukte zich los. 'Snap dat dan! Ik wilde wel, maar mijn lichaam weigerde. Dacht je dat ik dit wilde?'

'Bullshit en dat weet je!' Iris draaide zich om en sloeg haar armen over elkaar. Ze voelde haar ogen vochtig worden. 'Ik haat je!'

'Stop, stop, stop!' Een man kwam het podium op. 'Iris, zorg dat je je niet te snel omdraait. Dez moet de kans krijgen om jouw tranen te zien.'

Iris rechtte haar rug en glimlachte. 'Oké, sorry Hans. Vergeten.' Ze keek naar Dez. 'Nog een keer?'

'Even pauze.' Hans wees naar de coulissen. 'Ik wil nu even die andere scène doornemen met Arja en de dansgroep.' Hij wapperde met zijn handen. 'Chop, chop... Wegwezen!'

Dez sprong het podium af en hielp Iris bij haar sprong. Samen liepen ze de zaal door, naar achteren waar een frisdrankautomaat stond.

'Cola?' Dez drukte al op de knop.

Iris glimlachte. Dez wist weer eens precies wat zij wilde. 'Ja, lekker.'

Soms verbaasde ze zich over het gemak waarmee ze met elkaar omgingen. Ze kenden elkaar door en door. Iris pakte het blikje cola aan en ging op een van de stoelen achter in de theaterzaal zitten. Dez kroop over de leuning van de stoel naast haar en plofte op de zitting. 'Wat een moeilijk stukje, vind je niet?'

Iris knikte. 'En iedere keer moet ik tranen persen.'

Dez sloeg zijn arm om haar schouders. 'Ja, knap hoor. Ik zou dat niet kunnen op commando.'

'Jij bent een jongen.'

'Nou en?'

Iris haalde haar schouders op. 'Nou, jongens huilen toch minder snel?'

'Wat een onzin,' reageerde Dez. 'Ik denk dat ik de afgelopen weken meer gehuild heb dan jij.'

Iris zweeg. Ze had geen zin om het er weer over te hebben. Dez trok zijn arm terug. 'Boodschap begrepen,' mompelde hij.

Iris staarde voor zich uit. Soms was het vervelend dat ze elkaar zo goed begrepen. Zwijgend keek ze naar het podium waar Arja haar solo zong en de dansgroep verscheen. Arja kon prachtig zingen. Haar stem vulde de hele zaal, zonder microfoon. Iris was blij dat ze nu niets hoefde te zeggen. Vanuit haar ooghoeken zag ze dat Dez aan zijn nagel pulkte. Hij was duidelijk boos, maar ze probeerde het te negeren. Alles was al honderd keer gezegd. Waarom kon hij zich er niet bij neerleggen dat het over was?

Dez was haar beste maatje. Al sinds de kleuterschool waren ze bevriend. Ze vertelden elkaar altijd alles. Dat zijn vriendin het vorige maand had uitgemaakt, had er flink ingehakt bij hem. In het begin had Iris begripvol naar hem geluisterd. Zijn verdriet was ook haar verdriet, ze had met hem meegeleefd, ze had hem getroost, bemoedigd, aandacht gegeven. Maar het hield een keer op. Ze had haar eigen problemen, dingen die ze met hem wilde delen en bespreken. Maar Dez was niet te bereiken. Zijn liefdesverdriet blokkeerde alles. Hoe lang ging dit duren? Hij had haar niet eens gevraagd hoe de auditie zaterdag was gegaan, terwijl hij wist hoe belangrijk die voor haar was.

De muziek stopte.

'De auditie ging goed,' zei Iris en ze keek opzij.

Dez leek te schrikken. 'O ja, vergeten. Hoe was het? Ik bedoel... hoe ging het?'

'Dat zeg ik net,' zei Iris. 'Het ging goed.'

'Sorry.' Dez haalde zijn voeten van de stoelleuning voor hem en draaide zich half om naar Iris. 'Heb je al wat gehoord?'

Iris schudde haar hoofd. 'Nee, dus het zal wel weer niets worden.'

'Dat weet je niet. Geen bericht, goed bericht.'

'Nou, in de filmwereld is het geen bericht, slecht bericht, hoor,' mompelde Iris. Als ze haar hadden gewild voor die rol, hadden ze allang gebeld. Hoeveel audities had ze nu al gedaan de afgelopen maanden? Iris was de tel kwijt. Sinds ze zich had ingeschreven bij een castingbureau, had ze werkelijk op ieder aanbod gereageerd. Op een paar figurantenrolletjes na was ze nog niet verder gekomen dan die ene zin in Spangas: 'Mag ik een kopje koffie?'

De vrouw van het castingbureau had bij de inschrijving gezegd dat ze best kans maakte om ontdekt te worden. Het feit dat ze al jaren op een toneelvereniging zat, gaf haar een voorsprong op alle andere nieuwe inschrijvingen.

8

In het begin had ze haar telefoon zelfs mee naar bed genomen. Stel je voor dat ze zouden bellen? Elke seconde checkte ze of ze nieuwe berichten had. Op school had ze daarom al drie keer straf gehad, maar het kon haar niet schelen. Haar carrière als actrice was belangrijker dan een wiskundetoets.

Maar na een paar weken kreeg ze door dat het zo makkelijk niet ging. Als er al gebeld werd, dan was het voor een figurantenrol. Vaak ook nog op onmogelijke tijden. Iris probeerde alles aan te pakken, maar ondervond al snel dat figureren een hondenbaan is. Urenlang in de kou staan wachten tot je een keer langs mag lopen aan de overkant van de straat. Of zonder geluid met je lippen de woorden 'rabarber, rabarber, rabarber' vormen als je achter in een café zit met wat andere figuranten als opvulling. Uiteindelijk zag je jezelf amper terug in de film en de verdiensten waren slecht. Vijfentwintig euro voor een hele dag wachten? Nee, figurantenwerk was niet haar ding. Al was het maar om het hongerloontje. Als het zo doorging moest ze een echt baantje gaan zoeken. Al haar klasgenoten werkten al. De meeste zaten in de horeca. Volgens Rik, een van de jongens uit haar klas, werd je daar slapend rijk. Hij had dan ook wel mazzel gehad. Solliciteren voor afwashulp en meteen in de bediening terechtkomen.

Iris twijfelde. Ze wilde acteren, een rol leren, tegenspelers hebben en beroemd worden. Haar hele leven hoorde ze mensen zeggen dat ze een geboren actrice was. Al op haar negende meldde ze zich aan bij deze toneelvereniging, waarmee ze ondertussen al menig toneelstuk had opgevoerd voor volle zalen. Het applaus, de aandacht, het spelen van iemand anders... het podium was haar leven. En ze wist zeker dat het ooit een keer zou lukken. Ze moest doorzetten. Bij het castingbureau deden ze hun uiterste best, zeiden ze, maar het bleef een kwestie van geluk. Een hoofdrol in een Nederlandse productie was bijna onmogelijk. Er waren zoveel acteurs die al klaar waren met de toneelacademie. Waarom zouden ze haar kiezen als er zoveel professionele mensen rondliepen? Maar een bijrolletje... dat moest toch kunnen? Eén keertje meespelen in een film en ze had Rik ingehaald met zijn verdiensten. Ze moest geduld hebben, maar hoelang hield ze dit vol?

'Voor welke film was het ook alweer?' Dez schoof wat ongemakkelijk heen en weer op zijn stoel.

'Rot op, man,' siste Iris. 'Dat heb ik je wel honderd keer verteld.'

'Vergeten,' mompelde Dez. 'Sorry, maar ik voel me ook nog zo verschrikkelijk kl–'

Iris stond op en liep naar het podium. Ze had geen zin in de rest van zijn klaagzang. Arja zette net opnieuw in. Vol bewondering luisterde Iris naar haar stem. Ze voelde kippenvel op haar armen. Arja was een natuurtalent. Praten deed ze niet veel, maar zingen... Al op de allereerste dag dat Iris bij deze toneelvereniging kwam, was ze onder de indruk van Arja's stem. Al snel werden ze vriendinnen. Arja was de

10

dochter van Hans, hun regisseur, en stond haar hele leven al op het podium. Eens zou Arja het gaan maken in de muziekwereld, dat wist Iris zeker. Met zo'n stem moest je toch wel doorbreken? Dez en zij hadden Arja herhaaldelijk verteld dat ze zich op moest geven voor een talentenjacht.

'Met jouw stem win je direct,' had Dez geroepen.

'Ja,' had Iris aangevuld. 'Je blaast ze allemaal weg.'

Maar Arja was nog niet zover, zei ze. Haar zanglerares vond haar nog te jong. Haar stem moest nog rijpen.

'Wat nou rijpen?' had Dez gezegd. 'Als je wint, rijpt de boel toch ook? Maar dan heb je wel een platencontract in de wacht gesleept.'

Maar Arja wist wat ze deed, zei ze. Haar zanglerares had gelijk. 'Geduld is heel belangrijk.'

De laatste toon galmde door de zaal en Arja maakte een buiging. De dansgroep ging in één lijn achter haar staan en boog met haar mee. Hans klapte in zijn handen. 'Fantastisch, jongens. Die staat.'

Hij gebaarde dat ze klaar waren en draaide zich om. 'Iris, Dez? Zijn jullie er klaar voor? Nog één keer dezelfde scène.'

Iris klom het podium op en glimlachte naar Arja. 'Te gek!' Vanuit haar ooghoeken zag ze Dez aan komen sloffen.

'Beetje tempo mag wel, Dez,' riep Hans. 'Je enthousiasme is aanstekelijk.'

'Is-ie weer depri?' fluisterde Arja.

'Weer?' siste Iris. 'Hij is al weken niet te genieten.'

'Wel zielig.'

'Helemaal niet.' Iris trok Arja iets naar achteren. 'Hij zwelgt in zijn eigen hoofdrol. Van nu af aan geven we hem geen aandacht meer. Misschien dat het dan tot hem doordringt dat er meer is in de wereld dan zijn gesip.'

Dez klom het podium op.

'Heb je er nog wel zin in?' vroeg Hans. 'Je kijkt alsof je ziek gaat worden.'

Dez liep naar zijn plek. 'Zullen we?'

Hans wenkte Iris. 'Oké, vanaf "Wat ben jij een ongelooflijke loser!", goed? En een beetje pit graag.'

Deze keer speelde Iris haar woede niet, maar kwam deze recht uit haar hart. De zinnen schoten er met kracht uit en haar ogen spuwden vuur. Dez werd compleet weggespeeld. Zijn reacties waren lauw en vielen in het niet bij Iris' spel.

'Dez! Met pit, zei ik.' Hans klapte in zijn handen. 'Ik wil je onmacht zien, je bent je aan het verdedigen. Laat zien wat je bedoelt. Opnieuw!'

Iris haalde diep adem en begon weer van voren af aan. Dez aarzelde. Iris zag dat hij trilde. Zijn ogen schoten heen en weer en zijn mond verkrampte. 'Ik… ik…' Verder kwam hij niet. Met grote stappen liep hij het podium af en verdween tussen de coulissen.

'Dez!' Iris' stem sloeg over. 'Dez, kom terug!'

Hans zuchtte. 'Laat hem maar. Ik denk dat hij niet helemaal lekker in zijn vel zit. Zo'n liefde hakt er wel in, hè?'

Iris balde haar vuisten, maar zei niets. Waarom vroeg nooit iemand hoe zij zich voelde?

'Het is mooi geweest voor vandaag,' ging Hans verder. 'We gaan naar huis. Jassen aan, spullen pakken. Tot woensdag.'

Terwijl Hans de lichten uitdeed, liep Iris naar de stapel jassen. Arja had haar jas al aan. 'Moeten we niet achter hem aan?'

Iris schudde haar hoofd. 'Ik ben er even klaar mee. Hij moet nu maar eens stoppen met dat zielige gedoe.'

'Je bent wel hard.'

'Hoezo?' Iris keek op. 'Ik ben er ook nog, hoor!'

'Ja, dat weten we,' zei Arja. 'En als we dat vergeten, help je ons wel herinneren.'

'Hoe bedoel je?'

'Laat maar,' mompelde Arja. 'Je kunt iemand niet veranderen. Het is de kunst om dat te accepteren.'

Iris knoopte haar jas dicht. 'Ik accepteer niets meer, alleen de hoofdrol in een megaproductie.'

'Hoe ging je auditie?'

'Goed, maar niet goed genoeg, denk ik.'

'Nog niets gehoord?'

Iris schudde haar hoofd. 'Nee.'

'Balen.'

'Ja, zeg dat wel.' Iris pakte haar tas. 'Fiets je mee?'

'Nee, ik rijd met mijn vader mee. Zie je woensdag, goed?'

Even later stond Iris buiten bij haar fiets en gooide haar tas in de mand die aan het stuur hing. Ze fronste haar wenkbrauwen. De fiets van Dez stond nog in het rek. Hij was dus nog hier. Speurend keek ze om zich heen, maar van Dez was geen spoor te bekennen. Zou hij nog binnen zijn? Alle spelers waren nu buiten. De meeste verdwenen op hun fiets, een enkeling ging lopend. Hans sloot de deur van het toneelcentrum en zwaaide. 'Tot woensdag.'

Iris stak haar hand op en zag Arja met haar vader in de auto stappen. Even later was het stil op het parkeerterrein. Iris staarde naar de fiets van Dez. Waar was hij?

Ze liet haar fiets los en liep naar de deur van het toneelcentrum. De glazen deur besloeg toen ze haar gezicht tegen het glas drukte. Binnen was niets te zien.

'Zoek je iemand?'

Iris draaide zich om. Dez stond tegen de zijmuur van het gebouw geleund.

'Eh... ja, jou!'

'O.'

Het was even stil.

'Doe nou niet zo raar,' ging Iris verder.

Dez haalde zijn schouders op. 'Ik bén raar.'

Iris kon een glimlach niet onderdrukken. 'Dat is waar,' zei ze.

Weer was het stil.

'Ik begrijp jou niet!' zei Dez plotseling.

'Hoezo?' Iris schrok van de felheid in zijn stem.

'Je verwacht iets van me,' legde Dez uit. 'Ik voel het.

Er is iets, maar ik weet niet wat.'

'Je meent het.'

Dez zuchtte. 'Je doet vaag, kijkt boos, zwijgt opeens, loopt weg. Van die meidendingen waar je als jongen geen hoogte van krijgt.'

Iris beet op haar lip. Had hij nou werkelijk niet door wat er aan de hand was? 'O, dus het ligt aan mij?'

'Ja, eigenlijk wel, ja.' Dez wiebelde heen en weer. 'Wees duidelijk! Ik word gek van jouw verwijtende houding. Wat doe ik fout?'

Iris deed een stap naar voren. 'Dus je wilt dat ik duidelijk ben?'

'Ja!'

'Nou, dan zal ik je het nog één keer zeggen: ik ben jouw gesip zat! Je bent al weken aan het zeuren over hoe zielig je bent. Je hebt totaal geen interesse in mij, vraagt nooit meer hoe het met mij gaat. Alles draait om jou, Dez, en daar ben ik klaar mee. Ik wil de vrolijke, grappige, lieve, belangstellende Dez terug! Mijn maatje! Duidelijk?'

'Duidelijk genoeg,' mompelde Dez en hij boog zijn hoofd. Heel even aarzelde hij, maar toen draaide hij zich om en liep naar zijn fiets.

'Dez!' Iris brieste. 'Kom terug!'

Maar Dez reageerde niet. Hij haalde het slot van zijn voorwiel en hing dat aan zijn stuur. Iris rende naar hem toe. 'Zeg wat!'

Dez draaide zich om. Zijn ogen stonden flets. 'Wat moet ik zeggen? Alles wat ik zeg of doe is toch niet

15

goed. Ik ben wie ik ben en hoe ik me voel, daar kan ik niets aan doen. Ik dacht dat we vrienden waren, maar ik heb me vergist. Jij wilt dat ik iemand anders ben.'

Hij pakte zijn stuur en trok zijn fiets uit het rek. 'Misschien beter als we elkaar even uit de weg gaan.'

'Maar dat wil ik helemaal niet,' riep Iris. 'Ik wil dat je weer vrolijk bent.'

'Dat ben ik niet.'

'Nee, maar dat kun je wel weer worden.'

'Ik zou niet weten hoe.'

'Kijk om je heen, interesseer je voor anderen.' Ze deed een stap naar voren en pakte zijn arm beet. Zijn greep verslapte en de fiets viel tegen zijn heup aan. Dez draaide zich een kwartslag om en hief zijn hand. Zijn vingers streelden haar wang. 'Voor jou? Is dat wat je wilt?'

Iris sidderde. Wat deed hij nou? Wat ongemakkelijk liet ze zijn arm los. 'Luister, Dez. We zijn vrienden. Ik zie toch dat je het moeilijk hebt? Je gooit er alleen maar shit uit. Dat werkt niet. Je moet er iets positiefs in stoppen.'

'Oké.' Zijn vingers bleven haar wang strelen. 'Weet je dat je heel mooi bent?'

'Niet doen,' riep Iris en ze verstijfde. 'Dez, kappen!'

Ze deed een stap naar achteren om onder de streling vandaan te komen. Dez liet zijn arm zakken. 'Probeer ik leuk te doen, is het weer niet goed.' Hij schoof met zijn voeten heen en weer over de grond. 'Ik weet wel dat je gelijk hebt. Ik moet uit die dip, maar het lukt gewoon niet.'

16

Iris haalde haar fietssleuteltje uit haar jaszak en hield dat omhoog. 'Wij gaan nu naar de snackbar een ijsje halen. Ik trakteer. Als dat nìet positief is, dan weet ik het niet meer.'

Liar liar

Regisseur: Tom Shadyac
Jaar: 1997
Genre: Komedie
Cast: Jim Carrey en Maura Tierney
De gladde advocaat Fletcher Reede liegt uit gewoonte.
Zijn zoontje Max wenst op zijn verjaardag dat zijn
vader 24 uur lang niet meer kan liegen, waarna deze
wens daadwerkelijk uitkomt: Fletcher merkt dat zijn
grote mond nu opeens zijn grootste vijand is.

'Jammer, maar helaas.' Iris klikte de mail van het castingbureau weg. De zoveelste afwijzing. En voorlopig waren er ook geen audities meer.

'Helpt een stukje chocolade?' Haar moeder zette een kop thee neer en wees op de brokken chocolade op het schaaltje dat op tafel stond. Het was zondagavond en Iris baalde dat ze weer was afgewezen. 'Nee, maar het is wel lekker.'

Iris pakte een stuk van het schaaltje en propte het in haar mond. 'Grmmph…'

Haar moeder schoot in de lach. 'Even over.'

Iris slikte de chocolade door en probeerde het opnieuw. 'Ik heb de afgelopen maanden keihard gewerkt, auditie na auditie gedaan, en wat heb ik bereikt? Helemaal niets. De meiden uit mijn klas hebben gelijk. Ik kan beter in de supermarkt vakken gaan vullen, dan verdien ik tenminste nog iets.'

'Niet zo somber,' zei haar moeder. 'Zoiets kost tijd.'

'Ja, en geld. Mam, ik ben blut. Iedereen heeft een baantje en verdient geld als water.' Iris dronk haar thee op.

'Je hebt toch nog je zakgeld? Als jij doorbreekt, heb je niets te klagen.'

'Als…' Iris zuchtte. 'Mam, als we uitgaan wil ik ook genoeg geld hebben om te trakteren. Met mijn zakgeld alleen kom ik er niet meer.'

Haar moeder haalde haar schouders op. 'Van werken is nog nooit iemand doodgegaan, maar ik zou het wel jammer vinden als je je droom opgaf.'

Iris haalde haar schouders op. 'Het kan toch allebei? Werken en af en toe auditie doen?'

'Wil je nog thee?'

'Ja, lekker.' Iris pakte de afstandsbediening van de televisie en legde haar voeten op de bank. 'Televisiekijken?'

Haar moeder keek op de klok. Het is tien uur. 'Nog even dan,' zei ze.

20

Iris zapte langs de vele zenders en bleef hangen bij een interview met Annet Malherbe. Terwijl haar moeder de thee inschonk, luisterde Iris naar de stem van de actrice die ze zo bewonderde.

'O, is dat niet die vrouw die in Gooische Vrouwen speelde?' riep haar moeder enthousiast.

'Ssst,' siste Iris. 'Ik wil luisteren.'

'Kind, ik heb zo gelachen om dat mens. Weet je nog –'

'Mam!' viel Iris haar moeder in de rede. 'Annet heeft meer rollen gespeeld dan die van Willemijn. Je moest eens weten wat die vrouw allemaal kan.'

Iris concentreerde zich weer op het interview. Het ging over doorzetten, jezelf wegcijferen, ervoor gaan. 'Het is belangrijk dat je blijft geloven in jezelf,' zei Annet en Iris knikte. Daar wist ze alles van. De woorden van haar lievelingsactrice maakten indruk en Iris gloeide. Annet had gelijk. Als je weet dat je het kunt, ga er dan voor. Zelfs als je onder aan de ladder moet beginnen. Juist dan maak je de meeste kans. Zomaar beroemd worden, van straat gepikt worden en een hoofdrol krijgen, is maar voor een enkeling weggelegd. De harde werkers, de knokkers, overleven in deze harde wereld.

Iris raakte supergemotiveerd door het interview. Diep vanbinnen wist ze dat Annet gelijk had. Het ging om het acteren zelf! Ze moest zich niet blind staren op succes, op grote rollen in superproducties. Nee! Ze moest dicht bij haar hart blijven en genieten van elke

figureren was zinvol: je bent op de set, kunt
...aar de grote acteurs en actrices, leert van alles
_ er gebeurt en blijft erbovenop zitten.

Toen het interview was afgelopen, wist Iris wat ze moest doen. 'Ik ga door met acteren. Dan maar wat minder verdienen. Het is wat ik het liefst doe en daar gaat het om, toch? Eens zal ik een echte rol krijgen!' Haar moeder glimlachte.

Iris stond op. 'Ik ga morgen meteen het castingbureau bellen.' Ze gaf haar moeder een kus. 'Ik ga slapen. Morgen een toets scheikunde.' Ze zuchtte. 'Ik moet een voldoende halen, anders haal ik die vijf niet op.'

Haar moeder glimlachte. 'Als jij iets wilt, dan lukt het ook.'

'Ja, maar wil ik het ook?' Iris schoot in de lach. 'Scheikunde is zo'n dom vak. Al die formules die je moet weten. Wat heb je eraan als je later actrice wilt worden?'

'Zie het maar als een oefening. Als actrice moet je ook de vreemdste teksten uit je hoofd leren.'

'Dat is waar. Zo had ik het nog niet bekeken.' Iris draaide zich om en liep naar de deur. 'Dat wordt een tien!'

De volgende dag was ze net op tijd voor het eerste uur. Hijgend smeet ze haar tas op tafel. Senna, die bij scheikunde altijd naast haar zat, keek op.

'Verslapen,' mompelde Iris.

22

'Laat geworden?' Dez zat pal achter haar en glimlachte. Aan zijn schrift en boeken op tafel te zien was hij dik op tijd geweest.

'Nee, niet echt. Slapen lukte niet zo.'

'Moet ik nu vragen waarom je niet kon slapen?' Heel even zag Iris de twinkeling in Dez' ogen. Hun gesprek gisteravond had de lucht geklaard. Het ijsje was een schot in de roos geweest. Ze hadden ouderwets gelachen en Dez had beloofd om weer meer belangstelling voor anderen te tonen. Ze hadden met geen woord gerept over de streling en Iris was blij dat Dez nu wat vrolijker was.

'Nee, laat maar,' zei Iris. 'Niet meteen overdrijven.' Ze gaf Dez een knipoog. 'Zenuwen voor de toets, denk ik.'

'Daar geloof ik niets van,' zei Senna. 'Ik heb jou nog nooit nerveus gezien voor welke toets dan ook.' Ze friemelde met haar vingers aan haar pen. 'Om jaloers van te worden. Ik heb zelfs bij SO'tjes al buikpijn, laat staan bij een toets als deze. Ik moet een zeven halen!'

'Ik ook,' zei Iris en ze legde haar etui en schrift naast haar boeken op tafel. 'Als we elkaar een beetje helpen, moet het lukken.'

'Mevrouw Bosman heeft A- en B-toetsen,' zei Senna. 'Dat wordt niets.'

'Tuurlijk wel,' reageerde Iris. 'De vragen zijn hetzelfde, hoor. Ze staan alleen in een andere volgorde.' Ze pakte een fluorstift uit haar etui. 'Luister, we markeren het belangrijkste woord in de vraagstelling. Een woord dat opvalt. Zo kunnen we zien waar de vraag bij de ander staat.'

Senna knikte. 'Het is het proberen waard.'

'Wat hoor ik, dames?' Dez boog voorover. 'Gaan we vals spelen?'

'Helemaal niet,' antwoordde Iris. 'We werken graag samen.'

Op dat moment kwam mevrouw Bosman het lokaal in en het werd als vanzelf stil. Iris had bewondering voor haar lerares scheikunde, die ook hun mentor was. Ze had klasse, maar ook zeker overwicht. Vorig jaar, halverwege de derde klas, hadden ze voor het eerst les van haar. Het was even wennen geweest, want de leraar scheikunde die ze daarvoor hadden gehad, maakte er een potje van. Tijdens zijn uren kon je werkelijk van alles uitvreten, zonder dat het consequenties had. Toegegeven, je leerde niet veel, maar het waren geweldige uren. Bij mevrouw Bosman was het gelijk bonje. Haar allereerste uur in klas 3C was dramatisch verlopen. Zowel voor haar als voor de klas. Jort, Malid en Wesley werden eruit gestuurd en de rest van de klas kreeg uiteindelijk een extra huiswerkopdracht. Mevrouw Bosman vond het niveau erbarmelijk en beloofde hen in sneltreinvaart bij te spijkeren. Ze moesten zich voorbereiden op een zwaar, maar succesvol jaar. Iedereen was in rep en roer. Er moest gewerkt worden en dat viel tegen. Maar na een paar weken had mevrouw Bosman het respect van de klas verdiend. Haar lessen waren goed, ze schoten vooruit en ook de sfeer in de klas was uitstekend. Mevrouw Bosman verstond de kunst om het beste uit mensen te halen. Iris was gek op haar en alleen daarom wilde ze bewijzen dat ze een voldoende kon halen.

'Goedemorgen, allemaal.' Mevrouw Bosman liep naar haar tafel. 'Jullie hebben er zin in, zie ik?' Ze glimlachte en haalde een stapel papieren uit haar tas.

'Dat komt mooi uit, want ik heb hier een geweldige toets voor jullie.'

Het bleef stil in de klas toen de toetsen werden uitgedeeld. Links versie A, rechts versie B. Iris las de vragen op haar toetsblad. Haar ogen schoten over de tekst. Het viel mee. De meeste dingen wist ze. Heel even keek ze opzij en zag Senna met haar vinger over het blad glijden.

'Moet lukken,' fluisterde Iris.

'Iris, stilte graag.' De stem van mevrouw Bosman klonk vriendelijk. 'Ik hoop dat je die vijf van de vorige keer nu kunt ophalen.'

Iris keek op en knikte. 'Ik hoop het ook, mevrouw Bosman. Ik heb me suf geleerd.'

Hier en daar klonk gegiechel.

Mevrouw Bosman tikte op het bord en het werd direct stil. 'Veel succes allemaal! Laat zien wat je kunt.'

Iris zag dat Senna met haar fluorstift een aantal woorden aan het markeren was. Zo te zien kon ze dus wel wat hulp gebruiken. Iris volgde haar voorbeeld en markeerde de kernwoorden uit de vragen. Ze legde haar toetsblaadje aan de zijkant van haar tafel, zodat Senna het kon zien. Daarna begon ze met het beantwoorden van de eerste vraag. Eerst maar eens kijken hoever ze kwamen.

Na een uur zaten ze met de hele klas in de kantine.

'Makkie,' riep Malid. Hij propte een reep in zijn mond. 'Dat wordt weer een tien.'

'Nerd,' zei Rik met een boze blik.

Iris ging bij Senna zitten. 'En? Ging het?'

Senna haalde haar schouders op. 'Ik weet het niet. Het meeste wist ik wel. En die vraag over die formules heb ik bij jou afgekeken.'

Iris glimlachte. 'Ja, ik heb dat gistingsproces bij jou gespiekt. Ik heb er wel een goed gevoel over.' Ze voelde de telefoon in haar zak trillen. Wie belde er nu onder schooltijd?

In het display stond geen nummer. 'Hallo?'

Aan de andere kant van de lijn klonk een vrouwenstem. 'Spreek ik met Iris Hoogstraten?'

'Ja.' Iris drukte haar andere oor dicht. Het lawaai van de kantine maakte dat ze de stem moeilijk kon verstaan.

'Je spreekt met Yvonne van het castingbureau,' ging de stem verder.

'O, hoi! Ja, sorry, ik zit op school. Het is gelukkig net pauze.'

'Weet ik. Daarom bel ik nu. Ik zag je mailtje.'

'Ja, dat had ik gisteravond nog gestuurd. Ik dacht... nou ja, misschien hebben jullie dingen voor mij.' Iris zag de vragende blik van Senna en besloot niet te veel uit te wijden.

'Je wilt wat meer figureren om geld te verdienen?'

'Ja, dat doe ik liever dan een baantje bij de supermarkt.'

'Dat snap ik. Goed van je dat je het zo combineert. Ik zal mijn uiterste best doen om klussen te vinden die wat opleveren.'

'Dank je wel.' Iris wachtte gespannen af. Zou er al wat zijn?

'Komende zaterdag zijn er opnames in het stadion voor een sportdocumentaire. Ze zoeken jongens en meiden van een jaar of vijftien. Het is van negen tot vijf en je krijgt er twintig euro voor.'

Iris was even stil. Een hele zaterdag voor twintig euro. Dat was niet veel. Ze keek naar Senna die nieuwsgierig meeluisterde. 'Eh... dat is goed. Doe maar. Leuk!'

Yvonne beloofde de gegevens te mailen en snel met nieuwe klussen te komen. Iris bedankte haar en hing op.

'Wie was dat?' vroeg Senna.

'Mijn castingbureau.' Iris stopte haar telefoon terug in haar zak. 'Ze hadden een klus.'

'Te gek! Krijg je een rol? Welke film? Wanneer? Met wie?' Haar stem sloeg over en andere meiden die in de buurt zaten, keken nu ook op.

'Ga je in een film spelen?' vroeg Wiep. 'Gaaf! Welke?'

Iris schudde haar hoofd. 'Het is geen film, maar een documentaire.'

'O, saai zeg!' Wiep lachte. 'Laat het maar weten als je echt iets leuks gaat spelen.'

De meiden gingen door met hun eigen gesprekken en interesseerden zich niet meer voor Iris. 'Wat ga je precies doen?' vroeg Senna die wel nieuwsgierig bleef.

Iris vertelde wat ze zojuist had gehoord.

'Super, de hele zaterdag filmen,' reageerde Senna. 'Jij hebt het maar getroffen. Ik sta bij de supermarkt vakken te vullen voor drie euro per uur.'

Iris glimlachte. 'Ach, het is gewoon mijn werk, hoor.'

'Ja, maar jij verdient vast meer dan ik.'

Het was even stil. Iris probeerde de aandacht af te leiden door een pakje drinken uit haar tas te halen, maar Senna gaf niet op.

'Nou? Wat verdien je met dat figureren?'

'Een paar tientjes,' mompelde Iris. 'Maar ik hang dat liever niet aan de grote klok.'

Senna's ogen werden groot. 'Een paar tientjes per uur? Wow, jij wordt slapend rijk... eh, acterend rijk, bedoel ik.'

'Wie wordt er rijk?' Dez kwam erbij zitten. Hij had een warme chocolademelk gehaald bij de bar.

'Iris. Weet je wat ze verdient met dat acteren van haar?'

'Zo is het wel genoeg,' zei Iris. Senna had haar antwoord helemaal verkeerd begrepen, maar het was nu niet het moment om dat recht te zetten. 'Ik wil het er liever niet meer over hebben.'

Senna glimlachte. 'O, sorry dat ik, arme vakkenvuller, jaloers ben op jouw salaris.'

Iris ontweek de onderzoekende blik van Dez. 'Lekker, chocolademelk. Lust ik eigenlijk ook wel.' Ze stond op. 'Jij ook?' Ze keek naar Senna die haar hoofd schudde. 'Ik trakteer,' zei ze er snel achteraan. Alles beter dan hier blijven zitten.

'Graag,' zei Senna. 'Met zo'n rijke vriendin zit ik goed.'

Iris draaide zich om en wurmde zich tussen de leerlingen door die op een kluitje bij elkaar zaten. Terwijl ze in de rij stond, dwaalden haar gedachten af naar komende zaterdag. Twintig euro voor een hele dag werken. Dat klonk belachelijk. Maar aan de andere kant was acteren voor haar geen werken. Niet echt. Ze vond het leuk om tussen camera's te zijn, het sfeertje van de set te voelen, de drukte om haar heen van acteurs, crew en apparatuur. Als je het zo bekeek was die twintig euro een cadeautje toe. De woorden van Annet tijdens het interview hadden haar geraakt.

'Zeg het maar.' De man achter de bar keek haar vragend aan.

'O, eh... twee warme chocolademelk.' Ze keek op de klok. De pauze duurde nog vijf minuten.

Even later liep ze met twee plastic bekers terug naar haar klasgenoten. Senna zat bij de andere meiden en Dez liet Rik iets op zijn mobiel zien. Zo te merken was het onderwerp verdienen niet meer aan de orde.

'Hier.' Iris gaf een van de bekers aan Senna. Er was geen stoel meer vrij, dus bleef ze staan. Het gekakel van de meiden ging langs haar heen. Zachtjes blies ze de stoom van haar bekertje weg en nam een klein slokje. Heerlijk!

'Weten jullie dat ik een baantje heb?' Wiep overstemde iedereen en het werd stil.

'Nee,' zei Anne. 'Vertel! Is het gelukt bij dat restaurant?'

Wiep schudde haar hoofd. 'Ze hebben iemand anders gekozen. Balen, want na die verhalen van Rik leek het me te gek om in een restaurant te werken. Nee, ik ga zaterdag beginnen bij de manege.'

'Wat?'

'Echt?'

'Hoe kom je daaraan?'

Iedereen riep door elkaar. Wiep lachte. 'Echt, het is zo gaaf. Ik moest vorige week mee naar een verjaardag van een saaie tante. Balen natuurlijk, maar die avond ontmoette ik een kennis van mijn tante en dat bleek de eigenaar te zijn van de manege. Hij zocht nog een hulp en ik ben aangenomen.'

'Ja, hoor!' zei Anne. 'Zoiets gebeurt mij nou nooit.'

'En?' vroeg Zoë. 'Wat verdien je?'

'Zes euro per uur.' Wiep keek trots. Ze wist dat dit behoorlijk boven het minimumloon lag van een vijftienjarige. 'Maar ik moet wel poep ruimen.'

'Voor zes euro per uur doe ik alles,' riep Anne. 'Kun je niet een goed woordje voor me doen? Ik baal

als een stekker in die supermarkt. Ik kan geen vlees-
waren meer zien.'

Senna zuchtte. 'Nu zijn er al drie lucky's in onze
klas. Rik, Iris en Wiep.'

'Hoezo Iris ook?' vroeg Wiep. Alle blikken richtten
zich op Iris die ongemakkelijk naar haar beker staarde.

'Nou, met dat figureren verdient ze echt bakken
met geld,' legde Senna uit. 'Ze heeft net weer een opdracht binnen voor zaterdag. En denk maar niet dat
ze zes euro per uur veel vindt. In die wereld krijg je
een paar tientjes, toch Iris?'

Iris voelde een steek in haar buik. Kon Senna niet
gewoon haar mond houden?

'Een paar tientjes per uur?' Wiep kon het niet geloven. 'Opeens is mijn paardenpoepbaantje niet meer
zo aantrekkelijk.'

Iris glimlachte. 'In verhouding ontloopt het elkaar
niet zo, hoor. Jullie werken regelmatig, ik moet maar
afwachten of er een klus is.'

Op dat moment ging de bel en werd de kantine
gevuld met het lawaai van schuivende stoelen. Opgelucht haalde Iris adem. Saved by the bell!

All Stars

Regisseur: Jean van de Velde
Jaar: 1997
Genre: Komedie
Cast: Antonie Kamerling en Danny de Munk
Een verhaal over voetbal, vriendschap en de vrouwen
langs de lijn. Elke zondag voetballen de jongens van
Swift Boys 8 met elkaar en niets lijkt hen in de weg
te staan om hun vijfhonderdste wedstrijd te spelen.
Ruzies, verliefdheden, onzekerheid en angst lijken de
feeststemming te overschaduwen, maar uiteindelijk
weten ze alles te overwinnen: samen ben je niet alleen.

'Vergeet je je mobiel niet?'

Iris deed haar jas dicht. 'Nee, mam! Tot vanmiddag.'

Even later zat ze op de fiets. Het stadion was aan de andere kant van de stad. Met het openbaar vervoer zou ze meteen al een flink deel van haar twintig euro kwijt zijn, dus had ze besloten te gaan fietsen. Behendig laveerde ze tussen de geparkeerde auto's door, schoot een fietspad op en passeerde een man op een snorfiets. Het was nog niet zo heel druk in de stad zo vroeg op de zaterdagochtend. De meesten waren op dit vroege uur op weg naar hun werk. Veel scholieren zo te zien. Iris glimlachte. Zij was ook onderweg naar haar werk. Heel speciaal werk. Zelf moest ze er nog even aan wennen dat ze dit nu regelmatig zou gaan doen. Figureren als echt baantje… er waren niet veel leeftijdsgenoten die dat konden zeggen. De meeste figuranten waren ouderen, gepensioneerden of mensen zonder baan. Die hadden alle tijd. Mensen met de verantwoordelijkheid voor een gezin of eigen huis konden van de verdiensten niet rondkomen. Het was gewoon onmogelijk om van alleen figureren te leven. Iris besefte maar al te goed dat ze nu de kans had om dit te doen. Haar schoolwerk leed er niet onder. Ze maakte zich geen zorgen over haar overgangsrapport. Ze kon goed leren en wist de leraren altijd voor zich te winnen met haar goede werkhouding. Gelukkig maar, want anders hadden haar ouders het nooit goed gevonden dat ze twee tot drie avonden per week bij de toneelvereniging vertoefde.

Iris schoot de bocht om en ontweek een moeder met een klein kind voor op haar stuur die wat wiebelde. 'Pas op!'

De moeder zwenkte naar rechts en verontschuldigde zich. 'Sorry, moet nog even wennen.'

Iris keek naar het kind en bedacht dat dit misschien de eerste keer was dat de moeder met haar kind aan het fietsen was. In de drukke stad was zaterdagochtend nog het rustigste moment om te oefenen.

'Geeft niet.' Iris fietste snel door.

Iets voor negenen meldde ze zich bij het stadion. Er waren meer figuranten en Iris voegde zich bij de groep. Een jongen met de naam Bart zou hen vandaag begeleiden. Ze begonnen met wachten in de kantine.

'Zodra jullie nodig zijn, kom ik jullie halen,' zei Bart en hij vertrok weer.

Wat ongemakkelijk keek iedereen om zich heen. Iris zat aan een tafel met drie dames van rond de veertig. Ze kakelden er op los. Zo te horen waren het vriendinnen die er een gezellig dagje van maakten.

Achter haar zaten vier mannen van verschillende leeftijden en in de hoek aan een grote ovale tafel zag Iris een groep jongens en meiden. Ze besloot om zich bij hen aan te sluiten. Wel zo gezellig!

'Hoi!' Iris legde haar tas op een van de lege stoelen en ging zitten. 'Spannend, hè? Ik hoop maar dat we niet te lang hoeven te wachten.'

'Figureren is wachten,' zei een jongen die een boek in zijn hand had.

'Dat is waar,' zei Iris. 'Wat lees je?'

Maar de jongen was alweer verdiept in zijn boek en luisterde niet meer.

'Eerste keer?' vroeg een meisje dat naast Iris zat.

Iris schudde haar hoofd. 'Niet echt, nee.'

Er viel een stilte. Iedereen staarde voor zich uit. Iris voelde zich wat ongemakkelijk. Zo gezellig was het aan deze tafel niet.

'Ik snap niet dat ze ons om negen uur laten komen, terwijl ze ons pas tegen twaalven nodig hebben.' Een jongen met blond haar leunde op de tafel. Hij had donkere kringen onder zijn ogen en zo te zien had hij vanochtend niet gedoucht. 'Als ik dat geweten had, was ik nog even blijven chillen in de stad.'

'Twaalf uur?' riep het meisje naast Iris. 'Hoe weet je dat?'

'Zag ik op het rooster dat die gozer in zijn hand had.'

'Nou, lekker dan.' Ze haalde een pakje kaarten uit haar jaszak. 'Iemand zin in een potje poker?'

Er schoven wat jongens en meiden aan. Het meisje keek naar Iris. 'Doe je mee?'

Iris schudde haar hoofd. 'Nee, dank je.'

'We spelen om geld,' riep een van de jongens. Hij lachte. 'Je moet toch ergens aan verdienen vandaag.'

Iris keek toe hoe de kaarten werden verdeeld. In een mum van tijd lagen er stapeltjes euromunten op tafel en vlogen de kaarten over tafel. Iris had al snel door dat deze mensen dit al vaker hadden gespeeld. Ze was blij dat ze niet meedeed. Op school pokerde ze wel eens, maar niet zo fanatiek en zeker niet om zoveel geld.

De tijd kroop voorbij. Iris verveelde zich. Er waren

hier helemaal geen camera's te zien, geen acteurs, geen crew. Ze had al naar huis gebeld, een spelletje gedaan op haar mobiel, drie keer thee gehaald en twee keer het toilet bezocht. Haar enthousiasme om figureren als een baantje te zien, verdween als sneeuw voor de zon. Ze kon zich niet voorstellen dat ze zo haar weekenden door ging brengen. En dat voor twintig euro.

'Mensen, opgelet!' Bart kwam de kantine in. 'We gaan op.'

De kaarten werden opgeruimd en iedereen zat opeens rechtop van spanning. Iris voelde haar bloed sneller stromen. Nu ging het gebeuren.

'Wat gaan we precies doen?' vroeg de jongen met het blonde haar.

'Dat leg ik jullie zo wel uit,' zei Bart. Hij keek naar het schema dat hij in zijn hand had. 'We lopen rustig naar vak A in het stadion. Gaan jullie mee?'

Iris schuifelde achter de groep aan. Via de stenen trappen in het stadion gingen ze naar het zijvak.

Iris zag twee mensen met een camera op hun schouder onder aan de tribune staan.

'Als jullie zo willen gaan zitten dat we rij vier tot en met twaalf bezetten op stoel één tot en met tien.'

De eerste tien mensen schoven rij vier in. Langzaam kreeg iedereen een plaats. Iris zat op rij zeven ergens in het midden. De zon kwam net boven de rand van het stadion uit. Iris kneep met haar ogen tegen het felle zonlicht.

'Oké jongens, opgelet!' Bart stond op de trap aan de zijkant van de stoelen. 'Het is de bedoeling dat jullie op mijn teken gaan juichen.' Hij stak zijn arm in de lucht. 'Als ik mijn arm laat zakken, springen jullie op en schreeuwen jullie de longen uit je lijf.'

'Voor wie doen we dat?' vroeg een meisje dat vlak voor Iris zat.

'Hoezo?' Bart leek geïrriteerd en keek op zijn horloge.

'Nou, als ik juich voor Lady Gaga ziet dat er heel anders uit dan dat ik juich voor een doelpunt van Huntelaar.' Er klonk gelach.

'Het is een documentaire over sport,' zei Bart. 'Dus Lady Gaga lijkt me dan niet relevant.'

'Huntelaar dus,' mompelde de jongen naast Iris.

'Het was maar een vraag,' reageerde het meisje. 'Ik moet me toch kunnen inleven in mijn rol.'

Iris knikte. Zo'n domme vraag had het meisje inderdaad niet gesteld. Je moest toch weten hoe je moest juichen?

'Jullie zijn geen acteurs, maar figuranten,' brieste Bart. 'Ik vertel jullie wat je moet doen, oké? En nu wil ik draaien, want de tijd tikt door.'

'We hebben tot vijf uur vanmiddag de tijd,' grapte een van de jongens.

'Jullie misschien, maar ik niet!' Bart hief zijn arm. 'Klaar?' Hij keek naar de cameramensen beneden en kreeg twee opgestoken duimen terug.

'Komen er nog meer scènes dan?' riep een man achter Iris.

38

Bart wapperde met zijn hand. 'Geen flauw idee. Ik ben van deze scène. Kunnen we nu beginnen?'

Wat ongemakkelijk keek iedereen elkaar aan. Ze waren geboekt tot vijf uur. Wat ging er nog meer gebeuren dan?

'En... actie!' De arm van Bart ging naar beneden en iedereen sprong op. Er werd geklapt en geschreeuwd. Iris stak haar beide armen in de lucht en deed net of ze het winnende doelpunt in de finale van een wereldkampioen zag.

'Stop... cut!' Bart gebaarde dat iedereen weer mocht gaan zitten. 'Dat was bagger.'

Het werd stil.

'Ik wil passie zien, emotie!' ging Bart verder. 'Gezichten die knappen van ontlading, blikken die je kippenvel bezorgen. Is dat duidelijk?'

Hij stak zijn arm weer omhoog. 'Leef je in. Zie dat doelpunt en... Actie!'

Zijn arm ging weer naar beneden en dit keer werd er uitbundig gejuicht. Iris gooide haar mond open, ze sprong omhoog en omhelsde het meisje naast haar. Zo had ze het vaak gezien op de tribunes tijdens wedstrijden op televisie.

Bart jutte hen op en het gejuich hield minutenlang aan. Iris voelde haar keel rauw worden, maar ze zette door. Wie weet zoemden de camera's in op haar gezicht.

'Cut!'

Voordat ze nog maar één schreeuw kon geven, was

het stil in het stadion. Iris slikte en voelde dat haar keel opgezet was.

'Nog een keer.' Bart keek in zijn papieren.

'Was het niet goed?' Een van de vrouwen keek vragend. 'Harder kan ik echt niet schreeuwen, hoor.'

'Het gaat ook niet om hard,' legde Bart uit. 'Het gaat om expressie.'

'Expresso? Mmmm, lekker,' riep de blonde jongen. 'Ik kan wel iets voor mijn keel gebruiken.'

'Volgende keer Strepsils meenemen,' riep Bart. 'Let op, daar gaan we nog een keer. En dit keer wil ik enthousiasme op jullie gezichten zien. Laat die ogen maar flikkeren, zorg dat je wangen gloeien en richt je op het veld. Daar gebeurt het!'

'Wat?' vroeg Iris die zo langzamerhand wel eens wilde weten waarvoor ze juichten.

'Dat doet er niet toe,' riep Bart. 'Dat monteren we er later in.' Hij keek wat chagrijnig in het rond. 'Nog meer van die… interessante vragen?'

Niemand durfde meer iets te zeggen. Ook Iris hield haar mond. Ze had nog steeds geen antwoord gekregen op haar vraag, maar besloot het hierbij te laten. Veel meer zou die Bart niet loslaten.

'Daar gaat-ie… ACTIE!'

Opnieuw begon de groep te gillen en te juichen. Iris probeerde haar gezicht in allerlei standen te zetten. Haar ogen puilden bijna uit haar hoofd. Als dit niet goed was, dan wist ze het niet meer. Het leek nergens naar. Maar ja, als die Bart het zo wilde, dan kon hij het zo krijgen. Iris dacht aan alle aanwijzingen die ze op de toneelvereniging had gekregen van de leraar over expressie. Het subtiel aangeven van een emotie was een kunst. Dit geschreeuw hier had niets te maken met acteren. Het was puur ontladen van frustratie.

Iris keek om zich heen en kreeg een naar gevoel van al die schreeuwende mensen om haar heen. De gezichten straalden eerder woede dan enthousiasme uit. Het was net of ze in een hooliganvak stond en er binnen enkele seconden een rel uit kon breken.

'Oké!' Bart zwaaide met zijn armen en keek tevreden. De cameramensen staken hun duim op.

'Goed gedaan allemaal,' zei Bart. 'Dit was het. Bedankt!'

Terwijl de cameramensen wegliepen, streepte Bart wat door op zijn papier.

'En nu?' riep Iris. Haar stem sloeg over.

Bart keek op. 'Eh... geen idee. Wat mij betreft zijn jullie klaar.'

'Maar we moesten hier tot vijf uur zijn.'

Bart keek op zijn horloge. 'Dat zou kunnen. De productie plant altijd wat ruimer in. Maar de opnames verlopen goed. Alles staat erop. Jullie mogen naar huis.'

De vrouwen die deze dag als een uitje beschouwden, waren duidelijk teleurgesteld.

'Is dit alles?' riep een van hen. 'Waar zijn alle acteurs? We hebben nog geen bekenden gezien.'

'Die zijn er niet vandaag,' zei Bart. 'We doen vandaag alleen de opnames van het publiek.'

'Wat een afknapper,' bromde de vrouw.

Ook de rest van de groep keek bedenkelijk. Ze hadden zich er veel meer van voorgesteld.

'Als ik mijn twintig euro maar krijg,' riep de jongen met het blonde haar.

Bart knikte. 'Jullie kunnen je geld ophalen in de centrale hal bij de uitgang. Vraag even naar Jessica.'

Iris schuifelde achter de groep aan naar de uitgang. In de centrale hal kreeg iedereen een envelop met twintig euro en even later stond ze weer buiten. Het was één uur.

'Toch snel verdiend,' hoorde ze achter haar. Het was de jongen met het blonde haar. 'Ja, toch? Voor vier uurtjes werk.'

Voordat Iris wat kon terugzeggen was hij verdwenen. Teleurgesteld liep ze naar haar fiets. Ze had zich er meer van voorgesteld. Was dit nou de opstap voor grote rollen? Moest ze hier iets van leren? Als ze al iets had geleerd, dan was het dat ze orders moest aannemen. Doelloos fietste ze het plein af.

Freaky Friday

Regisseur: Mark Waters
Jaar: 2003
Genre: Komedie
Cast: Jamie Lee Curtis en Lindsay Lohan
Tess en haar dochter Anna kunnen niet goed met
elkaar overweg. Ze hebben weinig begrip voor elkaars
situatie. Op een vrijdag worden ze ineens wakker in
het lichaam van de ander en krijgen ze de kans om
elkaar beter te begrijpen. Tess wil de verwisseling zo
snel mogelijk ongedaan maken, want ze staat op het
punt om met haar grote liefde te trouwen.

De weken erna pakte Iris alle figurantenrollen aan die ze maar kon inpassen in haar agenda. Meestal betekende dat zaterdag en zondag, maar soms kon ze ook op een doordeweekse avond ergens figureren. Het waren stuk voor stuk saaie uren. Vooral het wachten en niet weten waarvoor je bezig bent, stak haar.

Regisseurs en cameramensen waren het ergst. Iris voelde zich soms behandeld als oud vuil. Zolang ze deed wat haar opgedragen werd en niet zeurde, was iedereen te spreken over haar. Maar o wee als ze iets zei, zelf initiatief nam of iets veranderde aan haar opdracht. Alsof de wereld verging, zo fel werd er dan gereageerd. Langzaam kreeg Iris door dat ze gewoon een attribuut was. Geen mens van vlees en bloed, met een eigen mening en gevoelens, maar een ding dat ergens werd neergezet als achtergrondartikel.

Ze legde zich erbij neer. Het was niet anders. De vele figuranten die ze regelmatig tegenkwam, maakten het dragelijker. Iedereen accepteerde het figurantenlot en Iris leerde een groot aantal van deze mensen kennen. Sommigen hadden er zelfs hun dagtaak van gemaakt.

'Gewoon, omdat het verslavend is,' zei een van de mannen die ze al drie keer had ontmoet bij producties. 'Het sfeertje, de chaos… *I love it!*'

Iris had geglimlacht. Zij hield ook van het sfeertje, maar dan liever als acteur en niet als figurant.

Af en toe ontmoette ze bekende acteurs en actrices. Dat was fijn. Niet dat ze hele gesprekken met hen voerde, maar een korte begroeting of vriendelijke blik was al genoeg. De meeste acteurs en actrices hadden respect voor haar en haar medefiguranten. Dat was cool. Laatst nog had Tygo Gernandt haar verteld dat ook hij als figurant was begonnen. Hij wist hoe het was en zei dat hij respect had voor hun doorzettingsvermogen. 'Zonder dat kom je er niet, dus maak er gebruik van.'

Iris nam zich voor dat ze figuranten ook zou aanmoedigen door te gaan als ze ooit zelf beroemd was.

Dez en Arja begrepen niet dat ze zich zo liet gebruiken. Tijdens de toneelrepetities vertelde ze wel eens iets over haar figurantenwerk. Ze probeerde het positief te houden, maar haar vrienden hadden heus wel door dat het niet allemaal leuk was.

'Jij kunt je tijd toch veel beter besteden?' Dez schudde zijn hoofd. Het was woensdagavond en ze hadden net de beginscène geoefend met elkaar.

'Concentreer je liever op je rol van ons stuk,' ging hij verder. 'De uitvoering is over drie maanden en we zijn pas bij de tweede acte.'

Iris wuifde zijn bezwaren weg. 'Relax, man! Drie maanden is een hele tijd. En trouwens, jij hebt op zaterdag toch ook een baantje bij de supermarkt?'

'Dat is heel wat anders.'

'O ja? Ik zie het verschil niet, hoor.'

'Je laat je gebruiken als voetveeg,' ging Dez verder. 'En dat voor een paar euro. Je bent veel meer waard dan dat.' Hij streek een haar weg die voor haar gezicht hing. 'Echt!'

Iris voelde de warmte van zijn hand tegen haar wang.

'Thanks,' antwoordde ze teleurgesteld en haar ogen flikkerden. 'Je snapt er helemaal niets van, Dez! Ik heb een doel, ik wil acteren en moet daar iets voor over hebben. Heb jij wel eens over je eigen baantje na-gedacht? Vind jij vakken vullen zo leuk dan? Of doe je het voor die paar euro's? Je maakt mij niet wijs dat je er een plan mee hebt. Of wil je later soms manager van een supermarkt worden?' Iris wist dat haar stem sarcastisch klonk, maar ze kon er niets aan doen. Dez had niet het recht haar zo af te vallen.

'Jongens, geen ruzie nu,' zei Hans. 'Zolang jullie op de repetitieavonden aanwezig zijn en je teksten ken-nen, ben ik tevreden. Wat je in je eigen tijd uitspookt, zal me worst wezen. We hebben nog tijd genoeg tot de uitvoering.'

Iris keek tevreden. 'Precies!'

Dez mompelde wat onverstaanbaars en liep naar de groep dansers toe.

Op dat moment voelde Iris haar telefoon trillen. Terwijl Hans de volgende scène doornam met twee andere spelers, opende Iris haar inbox.

Van: Casting Fame
Aan: Iris

Vrijdagavond klus. 50 euro. 1 uurtje. Bel even.

Iris liep de zaal uit en belde het castingbureau. Vrij-dagavond was repetitieavond, maar vijftig euro voor één uur was heel veel geld. Ze kon best een keer een repetitie missen. Dez was er wel vaker niet als hij bij de supermarkt was ingedeeld op vrijdagavond.

Na een kort gesprek met het meisje van het casting-bureau had Iris alle informatie en liep ze terug naar de zaal. 'Hans, ik moet werken vrijdagavond. Sorry, maar ik kan niet naar de repetitie komen.'

Hans knikte en ging verder met zijn instructies aan de dansgroep. Opgelucht liep Iris naar een van de stoelen op de voorste rij en ging zitten.

'Arja?' Hans wenkte zijn dochter die van achter de coulissen aan kwam snellen. 'Wil jij vrijdagavond de rol van Iris op je nemen? We hebben doorloop van de eerste akte en het zou jammer zijn als dit niet door kan gaan.'

Iris fronste haar wenkbrauwen. Wat bedoelde Hans daarmee? Vond hij het wel vervelend dat ze niet kwam?

Arja keek heel even naar Iris, maar knikte toen. 'Is goed, pap! Ik zal haar rol de komende dagen doorne-men. Komt goed.'

Iris stond op en liep naar de rand van het podium. 'Ik vind het erg vervelend, Hans,' begon ze.

'Ik ook,' antwoordde Hans.

'Het leek of je het niet erg vond toen ik het je vroeg,' ging Iris verder.

'Je vroeg het niet,' zei Hans terwijl hij een jongen gebaarde dat hij meer naar links moest gaan staan. 'Je deelde het mee.'

'O.' Iris sloeg haar ogen neer.

Hans draaide zich om. 'Werk gaat altijd voor,' zei hij. 'Daar is helaas niets aan te doen. Ik vertrouw erop dat iedereen zijn uiterste best doet om op de repetitieavonden te komen. Als het echt niet lukt, dan houdt het op.'

Terwijl Hans verderging met de dansgroep, sprong Arja het podium af en kwam naar Iris toe. 'Ben je er vrijdag niet?'

'Nee,' zei Iris wat bedeesd. 'Ik moet werken. Net gehoord.'

'O, jammer. We hadden vrijdag toch al een tijdje geleden vastgelegd?'

Met een schok realiseerde Iris zich dat dit inderdaad zo was. Helemaal vergeten. Stom!

'Is het erg belangrijk?' vroeg Arja.

Iris keek verbaasd.

'Die opdracht vrijdag,' legde Arja uit. 'Ik neem aan dat het een mooie kans voor je is? Anders laat je onze repetitie niet lopen.'

'Eh… ja, ja inderdaad. Het is een te gekke kans. Een rolletje in een grote film.' Iris' gedachten draaiden op volle toeren. Ze kon nu niet meer terug. 'Nog geheim, maar het wordt een knaller volgend jaar in de bioscoop. Ik mag iets kleins doen. Niet giga, maar toch…'

Arja knikte. 'Laten we hopen dat er iets uitkomt voor je. Ik weet hoe belangrijk acteren voor je is.' Ze glimlachte en sloeg een arm om Iris heen. 'Ik zal voor je duimen, goed?'

Op de terugweg naar huis voelde Iris zich misselijk. Hoe kon ze zoiets nu vergeten? Waar was ze mee bezig? Hadden de vijftig euro haar verblind? Ze moest toegeven dat dat de enige reden was, want de figurantenrol stelde niet veel voor. In tegenstelling tot wat ze Arja had verteld, was het een flutproductie. Ze moest in een bar zitten op de achtergrond en zogenaamd uitbundig en lollig overkomen. Waarschijnlijk was ze in de uiteindelijke opnames niet eens te zien. Niets bijzonders dus. Geen rol om de repetitieavond van vrijdag voor af te zeggen. Ze kon niet meer terug. Ze had tegen Arja gelogen om haar eigen hachje te redden en schaamde zich kapot. Wel fijn trouwens dat Arja haar rol vrijdag overnam. Zo konden de repetities toch doorgaan.

Thuis dook Iris gelijk haar bed in. Ze was moe en de volgende dag had ze een toets geschiedenis waar ze behoorlijk veel tijd in had gestopt. Die mocht ze niet verknallen.

Na een onrustige nacht stond Iris vroeg op en eerder dan anders zat ze op de fiets richting school. Het akkefietje van gisteravond had haar toch meer gedaan dan ze dacht. Op school ontweek ze haar klasgenoten en ging direct door naar het geschiedenislokaal. Ze was de eerste en ging op haar vertrouwde plek bij het raam zitten.

'Jij bent vroeg.' Dez kwam de klas in en legde zijn tas op de tafel naast Iris. 'Lekker geslapen?'

'Niet echt nee,' mompelde Iris.

'Last van je geweten?'

Iris haatte het als Dez haar gedachten kon lezen.

49

'Hoezo?' Ze probeerde wat komen ging uit te stellen.

'Je bent er vrijdagavond niet, hoorde ik.'

Iris rechtte haar rug. 'Nee, ik moet werken. Net als jij vorige week.'

Dez ging zitten. 'Ik had geruild met komende vrijdag. Juist omdat we doorlooprepetitie hebben.'

Iris wist even niets te zeggen.

'Arja zei dat je een mooie klus kreeg die je echt niet kon afzeggen.'

Iris knikte. 'Eh… ja.'

'Je klinkt niet enthousiast.'

'Nee, logisch. Ik moest kiezen.'

'En dat heb je gedaan.'

'Ja!'

Er kwamen meer klasgenoten de klas in en Iris pakte haar etui uit haar tas.

'En nu voel je je schuldig?'

Iris keek op. 'Ja, vind je het gek? Iedereen blijft er maar over doorzeuren. Jij, Arja…'

Dez hief zijn handen. 'Ho, ho, ik zeur niet! Ik constateer alleen maar. Dat je nu zo fel reageert, zegt meer over jou dan over mij.

'Hou je psychologische praatjes maar voor je,' siste Iris. 'Ik weet heus wel wat ik doe.'

'Daar vertrouw ik helemaal op,' zei Dez. 'Als jij dat ook doet.'

Ze keek Dez strak aan. 'Wat wil je nu zeggen? Dat ik egoïstisch ben? Dat ik kies voor mijn eigen carrière?'

'Jij zegt het,' zei Dez kortaf.

Iris voelde het bloed naar haar hoofd stromen. Dez wist het altijd zo te draaien dat zij de boosdoener was. Ze zou geen woord meer zeggen.

'Gaan de tortelduifjes ruziemaken?' Malid kwam achter hen zitten. 'Niet doen, hoor! Ruzie is slecht voor een relatie.'

'Ach man, hou je kop.' Iris ritste haar etui open en haalde er een pen uit. 'We hebben helemaal geen relatie.' Ze keek naar Dez. 'Mocht-ie willen!' Dat laatste floepte eruit en Iris had meteen spijt. De blik in Dez' ogen was niet mis te verstaan. Zwijgend draaide Dez zich om en bukte naar zijn tas die op de grond stond.

'Oeioe,' lachte Malid. 'Beledigd!'

Iris maaide met haar arm naar achteren en raakte Malids rechter bovenarm. 'Kappen nou!'

'Au!' Malid greep overdreven naar zijn arm en keek hulpeloos om zich heen. 'Dat wijf is gek geworden.'

Op dat moment kwam meneer Graas de klas in. Malid wreef over zijn arm en Iris trok haar arm terug. Dez kwam omhoog en legde zijn pen op tafel. Hij keek strak voor zich uit.

'Sorry,' fluisterde Iris. Ze legde haar hand op zijn arm. 'Dat had ik niet moeten zeggen.'

'Pas maar op,' siste Malid. 'Straks mept ze jou ook.'

Dez bewoog zijn arm en schudde Iris' hand van zich af. Zwijgend luisterden ze naar meneer Graas die uitleg gaf over de toets. Iris voelde haar maag draaien. Wat was ze nou allemaal aan het doen? Eerst gisteravond, nu dit weer. Waarom reageerde ze zo fel op alles? Ze wilde helemaal geen ruzie met Dez. Ze zuchtte. Het toetsblaadje gleed over tafel naar haar toe. Eerst maar die toets maken.

De meeste leerlingen waren ruimschoots op tijd klaar. Langzaam druppelde de kantine vol met leerlingen uit klas 4C. Iris kwam als vijfde. Ze had een goed gevoel over de toets en ging tevreden zitten.

'Eitje,' zei Wiep.

'Had jij vraag zes?' Anne ritste haar tas open en haalde haar geschiedenisschrift tevoorschijn. 'Volgens mij mochten we paragraaf zeven overslaan, toch?'

'Nee, dombo,' riep Jort. 'Die moesten we juist extra goed leren. Heeft Graas vorige week nog gezegd.'

'Vorige week was ik ziek.' Anne keek teleurgesteld. 'Bedankt dat jullie me hebben ingelicht.'

'Graag gedaan,' grapte Wesley, maar er lachte niemand.

'Hahaha, erg funny, hoor!' snauwde Anne.

'Wie had vraag negen, over die tabellen?' vroeg Zoë. 'Ik snapte er werkelijk niets van. Wat moest je nu invullen?'

'Jaartallen,' antwoordde Wiep.

'Ja, duh! Dat snap ik ook wel. Maar welke jaartallen bedoelden ze?'

Terwijl Wiep aan Zoë uitlegde wat zij had geantwoord, kwam Dez de kantine in gelopen. Heel even keek hij naar Iris, maar toen liep hij door naar de bar. Iris volgde hem met haar blik en zag dat hij iets te drinken bestelde. Geduldig wachtte ze tot hij naar hen toe kwam. Maar Dez ging met zijn beker warme thee aan een lege tafel in de hoek van de kantine zitten. Iris twijfelde. Moest ze nu naar hem toegaan?

'Moet je niet naar je vriendje?' vroeg Malid. 'Volgens mij heb je iets goed te maken.'

Iris stond op, pakte haar tas en liep weg. Ze had geen zin in dat gezuig van Malid. Met ferme stappen liep ze naar Dez toe.

'Mag ik erbij komen zitten?' vroeg ze.

Dez haalde zijn schouders op. 'Het is een vrij land.'

Iris ging zitten. 'Het spijt me,' zei ze.

'Mij ook.' Dez nam een slok van zijn thee.

Iris schrok. De toon in Dez' stem voorspelde niet veel goeds. Zo had ze hem één keer eerder gehoord. Tien jaar geleden toen ze hem had uitgelachen omdat hij huilde om de dood van zijn cavia. Het was een reactie op zijn verdriet. Ze wist zich geen houding te geven en moest van de zenuwen lachen. Dez had zich nog nooit zo beledigd gevoeld en het had dan ook dagen geduurd voordat ze weer op normale voet verder konden.

En nu klonk dezelfde gekrenktheid in zijn stem. Iris aarzelde. Wat moest ze nu zeggen… of doen? Alles wat ze nu zou zeggen, was te veel. Ze legde haar hand op tafel en schoof die langzaam naar voren. Haar vingers raakten zijn hand. 'Echt, ik flapte er zomaar wat uit.'

'Daar ben je goed in,' bromde Dez die zijn hand terugtrok.

'Ja, ik weet het.' Er verscheen een glimlach op haar

gezicht, maar die verdween als sneeuw voor de zon toen ze de getergde blik in zijn ogen zag. 'Hé, het ging niet om jou.'

'Nee?' Dez keek haar strak aan. 'Het ging zeker weer eens over jou?'

'Eh… min of meer.' Iris haalde diep adem. 'Luister, die Malid haalde het bloed onder mijn nagels vandaan. Jij was pissig, hij zoog… Vind je het gek dat ik een beetje fel reageerde?'

'Een beetje?' Dez boog voorover. 'Luister, Iris. Hoelang zijn we nu al vrienden? Ik ken je. Ik weet dat je een droom najaagt. Je hele leven wil je al beroemd worden. Niets mis mee als je tien bent, maar nu?' Hij lachte schamper. 'Nu moet je beter weten.'

'Niet beroemd, Dez!' verbeterde Iris hem. 'Actrice. Ik wil actrice worden en een goede ook.'

'Whatever, voor mij is dat hetzelfde.' Hij glimlachte. 'Waarom, Iris? We weten allebei dat het niets wordt. Oké, je kunt best acteren, je bent de ster van onze groep en je hebt de spirit om te knokken, maar moet het najagen van die droom ten koste gaan van onze eigen voorstelling? We werken allemaal hard aan deze productie. Ik, Arja, de jongens… Je laat ons in de steek, Iris! Voor… voor…' Hij hief zijn handen. 'Voor wat? Een droom! Een onmogelijke droom.'

De woorden van Dez kwamen aan als een mokerslag. Dus zo dacht hij over haar ambities. Het zou toch niets worden en daarom moest ze er maar mee stoppen?

Ze trok haar hand terug. 'Fijn dat ik nu weet hoe je over me denkt,' zei ze zacht. 'Bedankt voor je support.' Ze pakte haar tas en stond op. 'Ik zal je niet meer lastigvallen met mijn...' ze aarzelde even. '...dromen.' Met grote stappen liep ze de kantine uit.

Oh Happy Day

Regisseur: Hella Joof
Jaar: 2004
Genre: Komedie
Cast: Lotte Andersen en Malik Yoba
Hannah leidt een behoorlijk saai leven. Haar enige
lichtpuntje is het koor waarin ze zingt. Op een dag kan
Hannah op haar fiets nog maar net de tourbus van
een Amerikaans gospelkoor ontwijken. Ze is ongedeerd
maar Jackson, de zwarte leadzanger en predikant van
het koor, is wel gewond en moet een tijdje herstellen.
Dit verandert Hannahs leven compleet.

'Je kunt je jas daar ophangen.' De vrouw bij de ingang
van de studio wees naar een grote kapstok in de hoek
van de hal.

Iris knikte. Ze zwaaide nog even naar haar vader
die op de parkeerplaats bij zijn auto stond. Ze was blij
dat hij haar gebracht had, want de studio's in Aals-

meer waren niet naast de deur. Het was half negen en ze zou tot ongeveer elf uur bezig zijn. Haar vader ging bij zijn zus op bezoek die in de buurt woonde. Rond elven zou hij haar weer komen halen, tenzij ze belde dat de eindtijd veranderde. Haar vader zwaaide terug en stapte de auto in. Iris liep naar de kapstok en hing haar jas op.

Op aanwijzingen van een van de studiomedewerkers liep ze de studio in. Het felle licht van een schijnwerper verblindde haar en ze knipperde met haar ogen. Behoedzaam liep ze langs een camera naar een rij met stoelen waar, zo te zien, al wat figuranten waren. Een man met een koptelefoon op gebaarde dat ze mocht gaan zitten. Wat onwennig keek Iris om zich heen. De studio was één wirwar van camera's, snoeren, microfoons en belichting. De schijnwerpers waren gericht op een klein gedeelte van de studiovloer. Iris zag een bar. Er stonden wat tafeltjes; de krukken aan de bar zagen er oud en verwaarloosd uit en de ingang was afgeschermd met een rood fluwelen gordijn. Het café bestond uit twee gedeeltes. Een ruimte met tafeltjes en de bar, met daarnaast een kleine ruimte waar een dartbord hing en een deur naar de keuken te zien was. De ouderwetse koperen tap glom in de studiolampen en er stonden wat glazen op de bar.

Iris glimlachte. Als je de camera's en de lampen wegdacht, leek het net een echte bar, zonder mensen. Heel even leek ze van haar stuk gebracht toen ze Bartho Braat achter de bar zag langslopen. Hij keek op zijn horloge en riep wat naar de regisseur die met een cameraman stond te praten. Iris herkende de acteur meteen. Het was Jef uit Goede Tijden, Slechte Tijden. Ze keek wat beter naar het café en kon niet anders concluderen dan dat het café De Koning was uit deze bekende soapserie. Haar hart begon sneller te kloppen. Ze mocht figureren in Goede Tijden, Slechte Tijden... als cafébezoeker.

Vanuit haar ooghoeken zag ze nog meer acteurs uit GTST het café binnen komen. Gaaf! Nu had ze maandag op school echt wat te vertellen. Heel even dacht ze aan haar vrienden van de toneelvereniging die nu aan het repeteren waren. Ze had een goede keuze gemaakt. Zelfs Dez kon niet langer boos blijven als hij hoorde dat ze in GTST had gespeeld.

Een vrouw kwam aangelopen en duwde Iris een vel papier in haar handen.' Kijk eens. Kun je vast lezen wat de bedoeling is. Er komt zo iemand bij jullie voor verdere instructies. Hebben jullie al koffie gehad?' Zonder het antwoord af te wachten wees de vrouw naar de kleine bar in de hoek van de studio.

Een paar figuranten maakten dankbaar gebruik van het aanbod en verdwenen richting bar. Iris bleef zitten en keek naar het script in haar handen. Haar ogen glinsterden. Ze zag de namen van de acteurs staan die meespeelden. Te gek! Haar ogen vlogen over de tekst. Het was een scène die zich afspeelde in café De Koning. Iris las de dialogen van de acteurs en glimlachte. Het was gelukkig een vrolijke scène. In

59

de rechter kolom stond beschreven wat de figuranten moesten doen.

Iris haalde opgelucht adem. Het was minimaal acteerwerk, maar des te beter kon ze haar mimieklessen toepassen. Er moest gelachen worden en vooral heel vrolijk gedaan worden. Dat was wel aan haar besteed. Er klonk een bel en opeens werd het bedrijvig op de vloer. Cameramensen namen hun plaats in en ook de acteurs begaven zich naar hun plek. De figuranten kregen de opdracht plaats te nemen in het café. Een voor een werden ze ergens neergezet. Iris moest zitten op de stoel die zich het dichtst bij de bar bevond. Tegenover haar kwamen nog twee andere meisjes te zitten.

'Ik wil dat jullie heel uitbundig en gezellig doen,' zei de regisseur die naar de glazen op hun tafel wees. 'Jullie zijn hier al een tijdje en de stemming zit er goed in. Duidelijk?'

Iris en de andere meisjes knikten. Terwijl de regisseur langs de andere figuranten liep, keek Iris naar Lieke van Lexmond die stond te praten met Bartho. Zo te zien waren ze gewend aan het wachten.

'Oké, stilte graag!' De regisseur was achter de camera gaan staan en gebaarde dat de lampen gedempt mochten worden. Langzaam werd het schemerig op de vloer. Op de achtergrond klonk opeens muziek en glasgerinkel. Iris verbaasde zich over het gemak waarmee deze kale studiovloer opeens veranderde in een echt, gezellig café.

'Ik wil eerst die gezelligheid zien. Kom op, mensen!'

Iris schoot in haar rol. Ze was vrolijk en zat al een tijdje in dit café met haar vriendinnen. Ze lachte en gebaarde met haar handen. De meisjes aan haar tafel deden hetzelfde en het leek één groot feest.

'Mooi, we gaan draaien!' De regisseur hief zijn arm. 'En... actie!'

Terwijl Iris en de andere figuranten vrolijk bleven doen, speelden de acteurs de sterren van de hemel. Vanuit haar ooghoeken volgde Iris alle bewegingen van Lieke die het café in kwam, wat gestrest naar de bar liep en een gesprek begon met Bartho.

'Stop maar!' De regisseur liep naar de belichtingsman en binnen enkele seconden werd er geschoven met de lampen.

'Oké, daar gaan we weer. Ik wil gezelligheid!'

Het geroezemoes startte en Iris ging verder waar ze gebleven was. Ze zou die regisseur wel eens laten zien hoe uitbundig ze kon zijn. Haar lach bulderde over tafel.

'Stop!'

Het werd op slag stil. Iris hikte nog wat na, maar hield acuut op met lachen toen ze de regisseur naar haar tafel zag komen lopen.

'Graag zonder al te veel geluid,' zei hij vriendelijk.

Iris voelde het bloed naar haar hoofd stijgen. 'O ja... sorry, vergeten. Ik zat er zo in.'

De regisseur glimlachte. 'Actrice in de dop, hè?'

Iris sloeg haar ogen neer. 'Ik hoop het. Ik speel al jaren bij een toneelgezelschap, dus wie weet.'

De regisseur draaide zich om. 'Opname... Actie!'

Terwijl Iris zonder geluid haar vrolijke bui weer oppikte, keek ze stiekem naar de regisseur die tevreden in de hoek van de studio stond te kijken naar de opnames. Aardige man, dacht ze.

De opname verliep voorspoedig en na een kwartier was er een korte pauze. Iedereen kreeg wat te drinken en de set werd klaargemaakt voor de volgende scène. Iris keek in het script en zag dat een van de figuranten naar de bar mocht lopen om iets te bestellen. Haar hart begon te bonken. Dat wilde zij doen!

Ze keek naar de andere figuranten die met een bekertje fris met elkaar stonden te praten. Zouden zij al weten wat er in de volgende scène gebeurde? Zo te zien had niemand het script bij zich. Was ze dan de enige die geïnteresseerd was in het verhaal?

Iris keek naar de regisseur die bij een van de cameramensen stond. Was het erg brutaal om te vragen of zij dat stukje mocht spelen? Iris slikte. Ach, wat maakte het uit. Niemand kende haar hier. Ze had niets te verliezen.

Met ferme stappen liep ze naar de regisseur toe. Op een beleefde afstand bleef ze staan. De regisseur was nog druk in gesprek met de cameraman.

'Ik wil meer licht,' zei hij wat geïrriteerd. 'Waarom is het zo donker op de achtergrond?'

'Ik zal een extra lamp installeren, maar hou er rekening mee dat het ook te veel kan zijn.'

'Dat zien we dan wel weer. Doe maar! En zorg dat die ene vent niet in beeld komt. Een waardeloze figurant. Heb je gezien hoe hij lacht? Hij lijkt meer op een boer met kiespijn. Dat castingbureau stuurt tegenwoordig ook maar van alles naar de studio.'

Iris keek achterom. Ze wist precies wie de regisseur bedoelde. De man in kwestie was inderdaad een beetje vreemd. Wel lullig dat ze zo over figuranten praatten. Heel even overwoog Iris om terug te lopen, maar de regisseur had haar al gezien.

'Zo, dame, sta jij ons af te luisteren?'

'Eh... nee, meneer. Ik wilde wat vragen.'

De regisseur keek haar onderzoekend aan. Iris doorstond zijn vorsende blik. De mogelijkheid om meer in beeld te komen, maakte haar sterk. 'Ik zie in het script dat een van de figuranten een drankje bestelt aan de bar.' Ze aarzelde.

'En nu wil jij dat wel doen,' vulde de regisseur haar aan.

Iris knikte. 'Ja, als dat mag.'

De cameraman schoot in de lach. 'Lekker gedurfd.'

Iris fronste haar wenkbrauwen. 'Wie niet vraagt, wordt overgeslagen,' reageerde ze fel.

'Dat is waar.' De regisseur glimlachte. 'Ik zal kijken, goed? Meer kan ik je nu niet beloven.'

'Oké, dank u. U zult er geen spijt van krijgen als u mij dat stukje geeft.' Iris draaide zich om en liep terug naar haar collega-figuranten. Ze wist dat de cameraman en de regisseur haar nastaarden, maar ze keek niet om.

Even later gingen de opnames verder. Iedereen nam zijn plaats weer in en Iris zag dat ook Ferry Doedens, die de rol van Rik speelde, op de vloer aanwezig was. Volgens het script kwam hij De Koning binnen om Lieke eens flink toe te spreken. Iris verheugde zich op de scène. Ze kon veel leren van deze acteurs.

'Oké, zijn we er klaar voor?' De regisseur zwaaide met zijn arm en het werd stil. 'We gaan door met de gezelligheid.' Hij wendde zich tot Iris. 'Als ik een teken geef, loop jij naar de bar en bestel je drie bier.'

Iris keek verrast. 'O... ik? Eh... dat is goed.'

De regisseur fronste zijn wenkbrauwen en Iris zag een twinkeling in zijn ogen. Hij had haar door. Natuurlijk wilde ze niet dat de andere figuranten wisten dat ze hierom gevraagd had. Haar verrassing moest echt zijn. Ze wist dat ze overtuigend kon spelen en nu wist die regisseur dat ook.

De camera's begonnen te lopen en de bedrijvigheid in De Koning kwam op volle gang. Iris zag de regisseur knikken. Ze stond op, lachte nog wat naar haar zogenaamde vriendinnen en liep toen naar de bar. Ze wurmde zich tussen Lieke en een andere figurant die aan de bar zat en bestelde drie bier. Bartho stak zijn vinger op en pakte een bierglas om dat onder de tap te houden.

'En wat nootjes,' ging Iris verder. Ze wist dat deze tekst niet in het script stond, maar het voelde goed.

Nootjes hoorden er gewoon bij. Bartho keek op en glimlachte. 'Dat is goed. Ga maar zitten, ik kom het zo brengen.'

Iris kon niet anders dan teruglopen naar haar tafel en ging zitten. De opnames gingen gewoon verder. Tevreden ging Iris door met vrolijk doen. Bartho had met haar meegespeeld en de regisseur pikte het. Gaaf! Hopelijk zouden ze dit er later niet uitknippen.

Na ruim een uur filmen waren ze klaar. De regisseur bedankte iedereen hartelijk en liep de zaal uit. Iris zag de meeste figuranten vertrekken. Ze aarzelde. Waarom wist ze niet, maar ze had het gevoel dat ze nog even moest blijven plakken. Ze pakte een stoel, schoof die naar de zijkant van de studio en ging zitten. Zwijgend bekeek ze hoe de crew de spullen opruimde en het café schoonmaakte.

Het was kwart voor elf, dus ze had nog wel even. Onopvallend bleef Iris in de studio. Niemand lette op haar en ze genoot van de bedrijvigheid. Ooit zou ze zelf een hoofdrol spelen. Ooit... Ze zuchtte. Hoelang was ze nu al bezig met acteren? Ze stond al vijf jaar ingeschreven bij het castingbureau. Op haar elfde had ze zich, na een dolle bui met haar vriendinnen, aangemeld bij een van de grootste castingbureaus van Nederland. Een foto erbij en klaar! Toen ging dat nog heel makkelijk.

Ze had de afgelopen jaren toch aardig meegedaan. Figuratiewerk, dat wel, maar ze stond ingeschreven en dat was de voorwaarde om mee te blijven doen!

Ze glimlachte. Het zou nu niet lang meer duren. Ze voelde het.

'Word je opgehaald?'

Iris schrok van de stem naast haar. 'Eh... ja.' Ze hief haar hoofd en keek recht in het gezicht van Lieke. 'Mijn vader komt me om elf uur halen.'

Lieke glimlachte. 'Je woont zeker niet in Aalsmeer.'

Iris schudde haar hoofd. 'Nee, maar dat geeft niet, hoor! Ik heb het er graag voor over.' Ze aarzelde. Dit was haar kans. 'Ik wil dolgraag actrice worden.'

'Wat leuk.' Lieke was zo te zien oprecht geïnteresseerd. 'En? Lukt het een beetje?'

Iris haalde haar schouders op. 'Ik zit al jaren op een toneelvereniging, krijg acteerlessen, doe allerlei figurantenklussen, maar het wil nog niet echt lukken.'

'Het is ook moeilijk,' zei Lieke. 'Het is knokken en doorzetten.'

'Ja, dat zeggen ze allemaal,' verzuchtte Iris. 'Maar je moet wel de kans krijgen om je te bewijzen.'

De regisseur kwam aangelopen. 'Lieke, heb je even? Ik wil het even hebben over die buitenopnames van morgen.'

Lieke knikte en zei Iris gedag. 'Gewoon doorgaan! Er komt een moment dat je je kans krijgt.' Ze wendde zich tot de regisseur. 'Zeg het eens.'

Iris glimlachte. Lieke was in het echt net zo aardig als Charlie, de rol die ze speelde. 'Thanks,' mompelde Iris. Haar blik kruiste die van de regisseur en ze rechtte haar rug. 'Eén kans is genoeg.'

66

De regisseur keek naar Iris en zijn lippen krulden. 'Ambitie is nog nooit slecht geweest,' zei hij. 'Hoe heet je?'

Iris ging staan. 'Iris, meneer. Iris Hoogstraten.'

'Hmm, Iris... Mooie naam.'

Er viel een stilte en Iris voelde haar benen trillen. Er stond iets te gebeuren, maar wat?

'Heb je acteerervaring?' vroeg de regisseur.

Iris knikte. 'Ja, meneer. Ik speel al jaren bij een toneelvereniging, meestal de hoofdrol.'

De regisseur leek geamuseerd. 'Bescheidenheid brengt je ver.'

'Ja, sorry hoor,' zei Iris. 'Maar als ik het niet zeg, val ik niet op.'

'Je hebt gelijk! Je hebt helemaal gelijk.' De man legde zijn wijsvinger op zijn lippen en staarde voor zich uit. 'Wat denk jij, Lieke?'

'Meisjes met pit kunnen ver komen.' Lieke gaf Iris een knipoog.

De regisseur haalde een kaartje uit zijn zak en gaf het aan Iris. 'Vooruit, je weet maar nooit.'

Iris staarde naar het visitekaartje in haar hand. Wat betekende dit?

'Je kunt meedoen aan de auditie voor een nieuwe film,' zei de regisseur. 'Tenminste, als je dat wilt.'

'Ja, ja, tuurlijk.' Iris hijgde. 'Zeg maar waar, wanneer en wat.'

De regisseur lachte. 'Bel dat nummer maar morgenochtend, dan hoor je alles.' Hij keek naar Lieke. 'Misschien niet eens zo'n gek idee om nieuw bloed een kans te geven. Ik ben de bekende namen een beetje zat.'

'Dank u, meneer.'

'Ho, ho, je krijgt niets cadeau. Het is een auditie en je bent niet de enige.'

'Geeft niet, ik weet zeker dat dit mijn kans is.' Iris balde haar vuisten.

'Nou, nou, wat een zelfvertrouwen. Dat is de ware spirit!' Hij draaide zich om. 'Tot dan!'

De regisseur en Lieke liepen al pratend de studio uit. Iris begaf zich naar de kapstok in de hal. Haar hart klopte in haar keel. Met het kaartje stevig in haar hand geklemd liep ze naar buiten. Ze mocht auditie doen voor een echte rol in een nieuwe Nederlandse speelfilm. Het was geen droom, dit was echt! Ze kreeg de kans om te laten zien dat ze het kon en ze zou die niet verknallen.

Hoe overleef ik...

Regisseur: Nicole van Kilsdonk
Jaar: 2008
Genre: Drama/Familiefilm
Cast: Floor Arink en Dragan Bakema
Rosa van Dijk, een gevoelig meisje van dertien, is erg
onzeker over zichzelf. Na de scheiding van haar ouders
verhuist haar moeder met haar nieuwe vriend en baby
naar Groningen en Rosa verhuist mee. Ze moet alles
wat voor haar veilig en bekend is, achterlaten. Hoe
gaat ze dit, en vooral zichzelf overleven?

'Wat?' Senna liet van verbazing haar agenda op tafel vallen. 'Met Lieke?'

Iris genoot van alle aandacht die ze kreeg. Met een schuin oog keek ze naar Dez die met een paar jongens achter in de klas stond te praten. Ze wist dat hij het had gehoord. Ze zag het aan zijn hele houding.

Met luide stem vertelde ze van haar ontmoeting vrijdag op de set van GTST. Ze wist dat ze uitsloverig bezig was, maar ze kon er niets aan doen. Ze had maar één kans om dit groots te brengen. Na al die jaren van kleine opdrachten en vervelend figurantenwerk, kon ze haar klasgenoten eindelijk vertellen dat ze hogerop kwam in de acteerbusiness. Weg waren alle denigrerende opmerkingen over haar ambities. Verdwenen waren alle heimelijke blikken van klasgenoten die haar maar een vreemde vogel vonden. Ze had ze allemaal te pakken!

Alle meiden stonden rondom haar en Iris vertelde hoe de regisseur haar had uitgenodigd voor de auditie van zijn nieuwste film. 'Ik viel gewoon op,' besloot ze haar verhaal. 'Echt, ik ben zo blij dat ik het heb gedurfd.'

'Echt cool van je,' zei Anne een tikkeltje jaloers. 'In die business moet je wel een bitch zijn.'

'Dank je,' zei Iris, maar ze lachte. 'Een beetje bitch kan nooit kwaad.'

'Hé, jongens,' riep Wiep. 'Hebben jullie het al gehoord? Iris breekt door in de filmbusiness.'

'Fijn voor haar,' riep Malid. 'Wat mag je doen? Koffie inschenken voor de echte acteurs?'

Er werd gelachen.

'Nee, ze krijgt een rol als lamp,' riep Jort. 'Heel goed stilstaan is ontzettend moeilijk acteren, heb ik gehoord.'

'Doe niet zo flauw,' zei Senna. 'Ze heeft vrijdag in GTST gespeeld en mag auditie doen voor een rol in een nieuwe Nederlandse film.'

'Kabouter Plop?' riep Wesley.

'De rol van Kwebbel is je op het lijf geschreven, hoor!' voegde Jort eraan toe.

'Ach, lul niet,' reageerde Senna boos. 'Jullie zijn gewoon jaloers.'

'Waarop?' vroeg Dez. Zijn stem klonk beheerst. 'Op die sterallures van Iris? Laat mij maar lekker gewoon blijven.'

'Vooral doen,' riep Wiep. 'Gewoon past bij jou. Meer zal het nooit worden.'

Iris zag dat Wieps woorden hard aankwamen, maar ze zei niets. Dez had het allemaal aan zichzelf te danken. Eerst wekenlang de aandacht vragen met zijn eigen sores en haar dan laten vallen. Hij kon de boom in.

'Wanneer is die auditie?' vroeg Zoë.

'Woensdagmiddag,' antwoordde Iris. 'Half twee.'

'We hebben acht lesuren woensdag,' zei Anne.

'En een wiskundetoets in het zevende uur,' voegde Zoë eraan toe.

'Weet ik, weet ik,' zei Iris. 'Maar deze kans laat ik niet schieten. Ik meld me gewoon ziek.'

'En je ouders?' vroeg Zoë. 'Weten die ervan?'

Iris knikte. 'Mijn moeder vindt dat ik het moet doen. Die ene keer moet kunnen. Zij zal me dekken.'

'Geef mij zo'n moeder,' verzuchtte Anne. 'Ik krijg al op mijn donder als ik me een keer verslaap.'

'Ja, vind je het gek.' Iris lachte. 'Jij bent er meer niet

dan wel. Ik heb nog geen uur gemist dit schooljaar.'
'Dat is waar,' zei Wiep. 'Maar ik vind het toch top van je moeder.'
Iris knikte. 'Ik ben er woensdag de hele dag niet,' zei ze. 'Ziek is ziek.' Ze boog voorover. 'Kan ik mooi de hele dag gebruiken om mijn tekst te leren.'
'Tekst?' Anne keek verbaasd.
'Ja, ik moet een stuk spelen. De tekst heb ik per mail gehad.'
'Moeilijk?'
'Gaat wel.' Iris glimlachte. 'Ik moet met een jongen...' Ze wachtte even. 'Nou ja, iets met een jongen.'
Er klonk gefluit en gejoel. Iris zag dat de jongens hun kant op keken. 'Gewoon wat zinnetjes. Het gaat ook niet om de tekst. Het gaat meer om mijn houding, mijn mimiek en expressie.'
'Je wattes?' Wiep schoot in de lach.
Op dat moment kwam de leerkracht wiskunde binnen. 'Zo, jong en lui. Wat is er zo grappig?'
'Niets, meneer,' riep Anne. 'Meidengebral.'
Iedereen ging op zijn plaats zitten en de les begon. Iris' gedachten dwaalden af naar de auditie van komende woensdag.
'Mejuffrouw Hoogstraten!'
Iris schrok op uit haar gedachten. 'Ja, meneer?'
'Als je nu niet oplet, wordt het woensdag niets met jou.'
Iris glimlachte. 'Ik weet zeker dat woensdag mijn geluksdag is, meneer.'

72

'Laten we het hopen. Dit cijfer telt drie keer mee voor je rapport en een herkansingsmogelijkheid is er niet voor het komende rapport. Dus let even op, ja!'

Heel even zag Iris de verschrikte blikken van haar vriendinnen, maar het kon haar niet schelen. Dan maar geen toets. Ze stond voldoende, dus zo erg kon het niet zijn als ze deze toets miste.

De rest van de dag was ze met haar gedachten niet echt bij de les. Ze maakte aantekeningen, maar dat was dan ook alles wat ze deed. Ze was blij dat ze rond half vier op de fiets naar huis zat. Geen van de meiden ging met haar mee. Ze wilde al haar tijd gebruiken om haar rol te leren.

Iris kon op de steun van haar moeder rekenen. Samen met haar oefende ze de scène die ze woensdag moest spelen bij de auditie. De tekst zat er al snel in.

Haar vader liet hen hun gang gaan. 'Gaan jullie maar door met acteren,' zei hij toen ze klaar waren met eten. 'Ik verdwijn naar boven. Er is voetbal.'

De dinsdag op school was zenuwslopend. Alle goedbedoelde opmerkingen van haar klasgenoten maakten haar nog zenuwachtiger dan ze al was. Zelfs de leraar wiskunde leek iets aan te voelen, want hij attendeerde Iris er fijntjes op dat ze toch vooral aanwezig moest zijn de volgende dag. 'Ik reken op je,' had hij geroepen toen de les was afgelopen.

Woensdagochtend was Iris al vroeg uit de veren. Haar moeder belde de school dat ze ziek was en maakte een lekker ontbijtje voor haar klaar. Nog één keer namen ze de scène door. Iris voelde zich zekerder dan ooit. Dit kon niet misgaan.

Rond het middaguur stapten ze in de auto en reden ze naar Hilversum, waar de audities gehouden werden. Onderweg was het stil in de auto. Iris concentreerde zich op haar rol. Alle woorden die ze moest uitspreken zaten in haar hoofd, in de juiste volgorde. Iris was niet de enige. In de wachtruimte zaten nog drie andere meisjes van haar leeftijd. Iris kende ze niet, maar realiseerde zich dat het haar concurrenten waren. Zouden deze meisjes ervaring hebben? Of waren ze, net als zij, ook op goed geluk uitgenodigd?

'Alice Opperdoes?' een vrouw kwam de wachtruimte in.

'Dat ben ik,' riep een meisje dat opsprong.

'Volg mij maar,' zei de vrouw.

De twee verdwenen en het wachten begon weer. Iris pakte een tijdschrift en bladerde er wat doorheen. Haar moeder zat in de hoek en was verdiept in een magazine. Zo te zien een modetijdschrift.

Na een kwartier kwam de vrouw weer aanlopen. 'Joyce Mahoud?'

Het ritueel herhaalde zich en Iris bleef achter met het overgebleven meisje dat, zo te zien, erg zenuwachtig was. Haar handen trilden en haar ogen schoten heen en weer.

'Zenuwachtig?' vroeg Iris die het ijs wilde breken.

'Niet meer dan anders,' antwoordde het meisje.

'Heb je dit vaker gedaan dan?'

Het meisje lachte. 'Als je honderd keer vaak noemt…
ja!'

Iris'ogen puilden uit. 'Honderd keer? En nooit geworden?'

'O, jawel. Ik heb al heel wat rolletjes gehad.' Ze gooide haar lange blonde haren naar achteren. 'Je moet me wel een keer gezien hebben.'

Iris bekeek het meisje goed, maar herkende haar niet. 'Sorry, maar ik kan me niet herinneren dat…'

'O, geeft niets hoor! Als ik het maar weet.'

Iris hield haar mond. Wat een zelfingenomen typetje, zeg.

'En jij?' vroeg het meisje. 'Zeker de eerste keer?'

'Hoe kom je daar nu bij?' Iris probeerde het antwoord te ontwijken.

'Zie ik aan je hele houding. Je gelooft erin en denkt dat de hele wereld straks aan je voeten ligt.'

Iris zweeg.

Het meisje ging verder. 'Had ik ook in het begin, maar daar kom je snel van terug, hoor. Na de zoveelste auditie die mislukt en tientallen flutrollen, piep je wel anders.'

'Het kan ook meteen raak zijn,' pareerde Iris het gesip van het meisje. 'Je weet maar nooit.'

De vrouw kwam de wachtruimte in en noemde Iris' naam.

'Veel succes!' riep het meisje haar na.

Iris kreeg een knipoog van haar moeder en liep toen achter de vrouw aan de wachtruimte uit.

Even later gingen ze een kleine studio binnen en Iris zag direct de camera, de lampen en het decor van de scène die ze moest spelen. Zou de jongen er ook zijn?

'Iris Hoogstraten,' zei de vrouw en ze legde een formulier neer op de tafel waarachter drie mensen zaten. Iris herkende de regisseur en knikte vriendelijk gedag. De twee vrouwen aan weerszijde van de regisseur stelden zich voor, maar gaven niet aan wat hun functie was.

'Heb je je goed voorbereid?' vroeg een van de vrouwen.

Iris knikte. 'Ja, mevrouw.'

De vrouw keek op haar horloge. 'We wachten even op Pim.'

Iris bleef wat verloren in het midden van de kamer staan. Uit de luidsprekers kwam muziek. Iris bewoog ritmisch met haar voet mee. Volgens het script was ze in een bar waar gedanst werd en kwam er een jongen met haar dansen, met wie zij dan in gesprek raakte. Iris kende haar rol tot in detail. De muziek bracht haar al helemaal in de stemming.

Een zijdeur ging open en opeens realiseerde ze zich dat de scène was begonnen. Zonder dat ze een teken kreeg, begon ze te dansen. Vanuit haar ooghoeken zag ze de jongen naar haar toe komen. Ook hij danste soepel op de muziek.

Toen hij vlak bij haar was, sloeg ze haar armen om hem heen en danste samen met hem verder. Precies zoals het in het script beschreven was.

'Gaaf nummer,' schreeuwde ze de jongen toe. 'Ben je ook fan van The Jeans?' Ze draaide een rondje om haar as en greep de jongen weer beet. 'Ik ga naar het concert.'

'Heb je al kaartjes, dan?' riep de jongen verbaasd.

'Nee, maar die regel ik wel.'

De jongen kronkelde ritmisch naar beneden, langs haar lichaam, en kwam weer omhoog. 'Regenbuitje?'

Iris wist dat ze zogenaamd natte kleren droeg. 'Nee,' zei ze. 'Onbeschofte taxichauffeur.'

De muziek ging over op een ander ritme en Iris liep terug naar een barkruk in de hoek van de studio. De jongen volgde haar.

'Ik ben Jim,' zij hij toen Iris wilde gaan zitten.

'Je mag mij Joan noemen,' antwoordde ze. 'Ga zitten.' Ze maakte een uitnodigend gebaar naar de kruk naast haar. 'Fans van The Jeans zijn bij mij van harte welkom.'

De jongen ging zitten. 'Je ziet er niet uit als een Jeans-fan.'

'Hoe ziet een Jeans-fan er dan uit?' Iris hield haar hoofd schuin, precies zoals in het script stond, en maakte haar ogen groter. Ze moest laten merken dat ze hem een lekker ding vond.

'Eh… wat ruiger, ik bedoel… jij ziet er fantastisch uit.'

Iris zat helemaal in haar rol en de zinnen floepten er als vanzelf uit. De scène duurde maar een paar minuten. Toen was ze klaar. Ze wilde zich omdraaien naar de regisseur, maar de jongen ging door.

'Je hebt gelijk,' zei hij zacht. 'Ik ben niet eerlijk tegen je geweest.'

Iris was heel even van haar stuk gebracht. Dit stond niet in haar script. Was er een fout gemaakt? In haar achterhoofd hoorde ze de stem van Hans. 'Nooit laten merken dat je je tekst vergeten bent. Improviseer liever dan dat je stopt.'

Ze keek op. 'Hoezo?'

De jongen grijnsde. 'Ik ben niet geïnteresseerd in jou, ik wilde alleen maar kaartjes ritselen.'

Iris liet de situatie tot zich doordringen en probeerde de juiste emotie te pakken te krijgen. Ze voelde de tranen in haar ogen springen. 'Wat een gemene rotstreek!' siste ze en haar stem trilde van woede. 'Die kaartjes kun je wel vergeten.' Ze draaide zich om en met een stalen gezicht liep ze in de richting van de deur.

Achter haar klonk applaus. Iris keek om. De jongen klapte in zijn handen. Eén keer, twee keer. Iris glimlachte wat verlegen. Hoorde dit nog bij de scène?

'Geweldig gedaan,' riep Pim en hij keek naar de regisseur. 'Pittig ding, hoor.'

Iris haalde opgelucht adem. Het was klaar. Dit hoorde er niet bij. Haar hele lijf ontspande.

'Je was echt pissig,' zei Pim. 'Top!'

Iris keek naar de regisseur en de twee vrouwen. Waren zij ook enthousiast? Ze kon hun reactie niet peilen.

'Je hebt het goed gedaan, Iris,' zei de regisseur. 'Ik ben blij dat ik je de kans heb gegeven. Dank je, je kunt gaan.'

Iris was beduusd. 'Eh... hoe gaat het nu verder?' vroeg ze.

'We nemen zo snel mogelijk contact met je op,' antwoordde de regisseur. 'Dan hoor je of je een rol krijgt of niet.'

Iris wilde nog wat zeggen maar de regisseur was alweer druk in gesprek met de beide vrouwen en had geen aandacht meer voor haar. Teleurgesteld liep ze naar de deur.

'Als je de rol krijgt, word je gebeld,' legde Pim uit. Hij was naar haar toe gelopen en begeleidde haar naar de deur. 'Ik vond je fantastisch, dus aan mij ligt het niet.' Zijn ogen straalden. 'Ik heb de rol al, dus als je het wordt, spelen we samen.'

Iris gloeide. Dat zou te gek zijn. Zelf had ze wel het gevoel dat het klikte tussen hen. Als de regisseur en escorte dat nou ook vonden, dan kwam het vast goed.

Pim opende de deur. 'Misschien leuk om evengoed wat af te spreken?' Hij keek haar doordringend aan. 'Gewoon een beetje praten over het vak en zo.'

Iris aarzelde. Ze wilde niet overkomen als het meisje dat alles overhad voor een rol. 'Ik weet niet,' zei ze. 'Eerst maar even afwachten of ik de rol krijg, goed?'

Pim haalde een kaartje uit zijn zak en drukte het in haar hand. 'Hier, mijn nummer. Mocht je je bedenken.'

Voordat Iris nog wat kon zeggen, stond ze op de gang en was de deur achter haar gesloten. Wat verbouwereerd liep ze terug naar de wachtruimte. Haar moeder sprong op toen ze Iris zag.

'En? Ging het?'

Iris pakte haar jas en gebaarde haar moeder dat ze liever niet in het bijzijn van het derde meisje praatte. Zwijgend liepen ze de gang in en verdwenen door de draaideur naar buiten.

'Het ging te gek!' Iris kon haar enthousiasme niet langer bedwingen. 'Echt, mam, als dit niks wordt, dan weet ik het niet meer.'

Haar moeder was zichtbaar blij voor haar. 'En dan begint nu het grote wachten. Zeiden ze nog wanneer ze wat zouden laten horen?'

Iris schudde haar hoofd. 'Nee, maar als ik binnen een paar dagen niets gehoord heb, is het mis. Als ze me echt willen, zullen ze heus wel snel bellen.'

Tevreden, maar ook gespannen, stapte ze naast haar moeder in de auto.

Make It Happen

Regisseur: Darren Grant
Jaar: 2008
Genre: Drama
Cast: Mary Elizabeth Winstead en Tessa Thompson
Lauryn verhuist naar Chicago om haar grote droom
na te jagen: ze wil aangenomen worden aan de
Chicago School of Music and Dance. Als ze wordt
afgewezen, besluit ze te gaan werken in een club. Deze
club blijkt een plaats te zijn van conflicten en Lauryn
ontdekt dat plannen kunnen veranderen, maar dat
dromen blijven bestaan.

Iris kwam de dagen maar met moeite door. Steeds
dwaalden haar gedachten af naar de auditie. Had ze
het beter kunnen doen? Was ze geschikt voor die rol?
Gek werd ze van haar eigen onzekerheid. Dat ze zich
weer zo liet opnaaien door een auditie zat haar nog
het meeste dwars. Een paar weken geleden had ze het

auditie doen opgegeven. Steeds weer die teleurstelling was onmenselijk. Dat ze figureerde als baantje was het meest haalbare en ze moest toegeven dat ze zich de laatste weken een stuk rustiger voelde. Figureren gaf niet zo'n spanning en uiteindelijk verdiende ze er best een aardig bedrag mee als je de werkelijke uren berekende.

De uren op school gingen redelijk snel. De meeste leerkrachten hielden haar lekker bezig. De ene toets na de andere kwam voorbij. De leraar wiskunde streek over zijn hart en liet haar de volgende dag de toets overdoen. Iris probeerde zich te concentreren op haar werk, maar dat viel niet mee.

De meeste klasgenoten leefden met haar mee. Door Senna wist bijna iedereen af van haar auditie. De meiden weken geen moment van haar zijde en zelfs de jongens waren zichtbaar onder de indruk.

De repetitieavond van vrijdag verliep moeizamer. Iris maakte veel fouten en Hans sprak haar daarop aan. Iris legde uit dat ze erg bezig was met de auditie en dat hij het maar even door de vingers moest zien. Hans was teleurgesteld. 'Sorry, Iris, maar een productie als deze kunnen we niet laten verslonzen door ieders privéaangelegenheden. De één heeft dit, de ander weer dat. Als regisseur moet ik daar hard in zijn. Je doet mee, of je doet niet mee. Half werk wordt hier niet geaccepteerd. Ik wil dat je focust op je rol, begrepen?'

Iris knikte. Ze wist dat Hans gelijk had, maar ze kon

het toch ook niet helpen dat ze zenuwachtig was? Terwijl Hans met vier andere spelers een scène doornam, liep Iris naar de frisdrankautomaat.

'Doe mij ook maar een cola.'

Iris draaide zich om en keek recht in het gezicht van Arja.

'Wat had mijn vader?' Arja pakte het blikje cola aan. 'Pissig?'

'Ja, maar hij heeft nog gelijk ook.' Iris haalde haar eigen cola uit de automaat en klikte die open. 'Ik ben er met mijn gedachten niet bij.'

'De auditie?'

Iris knikte. 'Ja, ik ben er zo mee bezig. Het is net of ik voel dat het doorgaat, maar tegelijkertijd wil ik niet hopen op iets wat toch niet doorgaat. Begrijp je?' Iris struikelde over haar eigen woorden en wist dat ze warrig deed. 'Ik snap dat jij het niet snapt, maar ik denk –'

'Ho, ho, rustig,' viel Arja haar in de rede. 'Je praat als een kip zonder kop.'

Iris boog haar hoofd. 'Zo voel ik me dus ook.'

Het was even stil.

'Weet je,' begon Iris. 'Als die rol doorgaat, kan ik eindelijk bewijzen wat ik kan.'

Arja staarde naar haar blikje. 'Je weet toch al wat je kunt? Dat hoef je niet te bewijzen. Kijk om je heen. Je speelt de hoofdrol in ons stuk, je bent verreweg de beste actrice van ons allemaal. Wat wil je dan bewijzen?'

Iris haalde haar schouders op. 'Kweenie, gewoon…'

'Weet je wat ik denk?' ging Arja verder en haar stem klonk minder vriendelijk. 'Je voelt je te goed voor ons.'

Iris schrok. 'Nee, nee, tuurlijk niet! Doe niet zo belachelijk.'

'Jouw bewijsdrang richt zich niet op acteren,' zei Arja zacht. 'Je wilt gewoon hogerop. Weg uit dit amateurgedoe, over de rode loper van Tuschinski lopen, in de bladen staan.'

'Nee, echt niet,' zei Iris. 'Ik wil gewoon een echte rol. Ik wil laten zien wat ik kan aan...' Ze aarzelde.

'Aan professionals,' vulde Arja aan.

'Zoiets ja,' mompelde Iris.

'Mijn vader is professional. Hij heeft toneelgezelschappen over heel de wereld begeleid.'

'Dat weet ik,' verzuchtte Iris. 'Maar dat was vroeger. Ik wil nu die wereld in. En echt niet om de rode loper of de paparazzi. Ik wil acteren, alleen maar acteren.'

'Dat doe je hier toch ook?'

'Je snapt best wat ik bedoel,' bromde Iris.

'Nee, dat doe ik niet. Je acteert hier de sterren van de hemel. Mijn vader heeft je alles geleerd over het vak. Gratis en voor niets. Het enige wat hij vraagt is jouw inzet voor deze voorstelling. Had je nou niet even kunnen wachten met je grote filmcarrière? Onze voorstelling is over een paar weken. We moeten gewoon nog hartstikke veel oefenen. We hebben je nodig, Iris!'

Iris beet op haar lip. 'Ik weet het en ik doe echt mijn best. Maar dat dit tussendoor kwam, daar kon ik toch niets aan doen?'

Arja gaf het duidelijk op. Ze draaide zich om en liep terug naar het podium. Iris ging op de stoel van de achterste rij zitten en dronk haar cola op. Arja had gelijk, maar ze snapte toch ook wel dat je zo'n kans niet kon laten lopen? Hoe meer Iris erover nadacht, hoe meer ze ervan overtuigd raakte dat Arja gewoon jaloers was. Waarom zou ze anders zo emotioneel reageren? 'We hebben je nodig,' herhaalde Iris de woorden van Arja zacht voor zich uit. 'Pfff, ze is gewoon jaloers.'

Door het uitspreken van deze woorden, voelde Iris zich nog ongelukkiger. Als zelfs Arja, een van haar beste vriendinnen, jaloers op haar was, hoe zouden andere mensen dan over haar denken? Haar klasgenoten, familie, vrienden, buren... Ze kon zich er niets bij voorstellen. In de roddelbladen las ze wel eens dat beroemde personen heel erg hadden moeten wennen aan al dat negatieve commentaar. 'Het is nooit goed,' had ze Gordon eens horen zeggen. 'Je kunt tegelijkertijd de beste en de slechtste zijn.'

Iris boog voorover en legde haar voorhoofd op de leuning van de stoel voor haar. Ze staarde naar haar voeten en hoorde haar ademhaling. Minutenlang bleef ze zo zitten.

'Gaat het?'

Iris kwam overeind en voelde haar bloed uit haar hoofd stromen. 'Eh... ja, hoor. Ik was even aan het...'

Verder kwam ze niet.

'Mediteren?' Dez liep naar de frisdrankautomaat

en haalde er een blikje uit.

'Zoiets ja,' mompelde Iris. Ze was blij dat Dez kennelijk bezorgd was om haar. 'Beetje een rotgevoel.'

Dez kroop achterstevoren op de stoel voor haar. 'O?'

'Ik ben er met mijn hoofd niet bij,' legde ze uit.

'Nee, logisch,' zei Dez. 'Als je je hoofd zo tussen de stoelen verstopt.'

Iris glimlachte. 'Je hebt helemaal gelijk. Dat is het! Bedankt voor je hulp.'

'Graag gedaan.'

Even was het stil.

'Iedereen is tegen me,' mompelde Iris toen.

'Wie is iedereen?'

'Hans, Arja... jij!'

'Ik?' Dez rechtte zijn rug. 'Hoe kom je daar nu bij? Ik ben het hooguit wel eens niet met je eens, maar tegen je?'

'O, hoe noem je jouw chagrijnige houding dan?'

'Bezorgdheid,' zei Dez met een grote grijns. 'Ik ben gewoon bezorgd. Altijd al geweest.' Hij stond op en schoof op de stoel naast Iris. 'Luister, ik zie toch dat je jezelf gek maakt.' Hij sloeg een arm om Iris heen. 'Je bent veel te veel aan het focussen op die audities. Heel even leek het goed te gaan, maar nu ben je weer zo gestrest als een pingpongbal. Laat die audities toch zitten. Het maakt je gek.' Hij gaf haar een kus op haar wang. 'Advies: gewoon niet doen! Je bent veel leuker zonder al die stress.'

'Maar ik kreeg die kans zomaar in mijn schoot geworpen,' zei Iris.'Dat moet toch iets betekenen? Geloof jij niet in het lot?'

De blik van Dez verzachtte. 'Tuurlijk wel. Dat wij bij elkaar in de kleuterklas werden geplaatst, noem ik geen toeval.' Zijn gezicht kwam dichterbij. 'Ik hou van je, Iris. Dat weet je toch?'

Iris voelde haar hart in haar keel kloppen. Wat bedoelde Dez daar nou mee? Dit had hij nog nooit tegen haar gezegd. Ja, ze hadden in groep vier van de lagere school officieel verkering gehad en toen had hij de woorden IK HOU VAN JE in haar schrift geschreven. Maar toen waren ze kleine kinderen. Het stelde niets voor. Iedereen in de klas had verkering, dus zij ook. Eigenlijk was het gewoon een diepe vriendschap die ze voor elkaar koesterden. Daarom had ze Dez de zomer voordat ze naar groep vijf ging een briefje geschreven waarin ze de verkering uitmaakte. Ze gaf wel aan dat ze voor altijd beste vrienden zouden blijven en ze had het briefje volgeplakt met dierenplaatjes en glitterstickers. Echt zo'n meisjesding. Ze was het allang weer vergeten, totdat ze het briefje laatst bij Dez in zijn fotoalbum had gevonden. Hij had het al die jaren bewaard. Zo schattig. Ze hadden er samen vreselijk om gelachen en Iris had het die avond in geuren en kleuren aan haar moeder verteld.

'Dez is gek op je,' had haar moeder gezegd. 'Het zou me niets verbazen als jullie ooit weer bij elkaar kwamen.'

Iris was van de zenuwen in de lach geschoten. Dez was superaardig, maar verliefd? Ze schrok van de gedachte. 'Doe niet zo maf. We zijn vrienden, mam!'

Dat de woorden van Dez haar nu onrustig maakten, verontrustte haar. Iris voelde het bloed naar haar wangen stijgen. 'Dat weet ik, Dez,' zei ze gejaagd. 'En ik hou ook van jou, maar daar gaat het nu niet om.' Ze probeerde haar adem in bedwang te houden.

Dez fronste zijn wenkbrauwen. 'Volgens mij is dat precies waar het om gaat in het leven.' Hij pakte haar hand. 'Iris, luister.'

Iris trok haar hand terug. 'Nee, jij moet luisteren, Dez! We hebben het hier over mijn toekomst. Mijn droom die misschien uitkomt. Deze auditie heeft een bedoeling. Ik voel het, ik weet zeker dat...' Ze zweeg.

'Wat? Dat je die rol krijgt?' Dez schudde zijn hoofd. 'Zeg dat nou niet. De teleurstelling is straks des te groter en dan kan ik jou weer oplappen. Dat wil ik één keer doen, zelfs twee of drie keer, maar het houdt een keer op.'

'Niet als je mijn vriend bent,' floepte Iris eruit.

'Dat is de boel omdraaien,' zei Dez. 'Vriendschap moet van twee kanten komen.'

Iris ging staan. 'O, alsof ik niets voor jou doe,' zei ze fel. 'Jouw ludduvudduh duurde ook weken. Dacht je dat ik het leuk vond om je dag in dag uit op te vrolijken? Wekenlang? Maar vriendschap kijkt niet naar tijd of hoe vaak. Ik dacht dat jij mijn vriend was.'

'Dat ben ik ook,' begon Dez. 'Waarom denk je dat

het uit is met Milly?' Hij slikte. 'Ik heb het er heel moeilijk mee gehad, maar uiteindelijk is het beter zo. Ik weet nu wat ik wil, dankzij jou.'

'Fijn voor jou.' Iris rechtte haar rug. 'Ik weet ook wat ik wil, maar blijkbaar is een beetje support te veel gevraagd.' Ze duwde de benen van Dez opzij en schoot de zaal uit. Met een klap viel de deur achter haar dicht.

'Jij bent vroeg thuis,' zei haar moeder toen Iris thuiskwam. 'Ging het goed?'

'Heel goed,' antwoordde Iris. 'Zo goed dat ik niet meer hoef te oefenen.'

'O?' Haar moeder fronste haar wenkbrauwen, maar zei niets.

'Wil je wat drinken?' Iris' vader zette het geluid van de tv zachter en stond op. 'Je ziet er verhit uit.'

'Laat maar, ik zet een kopje thee.' Iris liep naar de keuken en zette de waterkoker aan. Ze pakte een theeglas en opende de theedoos. Zonder na te denken pakte ze een van de zakjes en hing die in haar glas. Even later liep ze met een glas dampende thee de huiskamer in en plofte op de bank.

'Nog niets gehoord, zeker?' vroeg haar vader.

Iris schudde haar hoofd. 'Nee.'

De telefoon ging over.

'Wat niet is, kan komen,' zei haar vader en hij gaf haar een knipoog. 'Nooit de moed verliezen.'

Iris was blij met de steun van haar ouders. Terwijl

ze haar schoenen uitschopte en haar benen optrok, nam haar vader de telefoon op. Heel even voelde Iris de spanning stijgen, maar toen hoorde ze haar vader Dez' naam noemen en ze ontspande weer.

Iris ontweek de blik van haar moeder en pakte een tijdschrift. Ze had geen zin in gedoe.

'Is goed, doe ik. Dag, Dez!' Haar vader hing op.

'Dat was Dez. Hij vroeg zich af of je thuis was.'

'Wat ontzettend lief,' mompelde Iris terwijl ze een bladzijde omsloeg en haar hoofd nog dieper boog.

'Je was iets eerder vertrokken dan de rest, zeg maar.' Iris voelde de onderzoekende blik van haar vader, maar keek niet op. 'Ja, mijn scènes waren klaar, dus dacht ik: kom, ik ga vast.'

Het was even stil.

'Volgende keer even melden dat je weggaat,' zei haar vader.

'Ja, stom. Zal ik doen, pap.'

'Hoe zit het nu eigenlijk met Dez?' Haar vader boog voorover.

'Hoezo?'

'Nou, gewoon... Hebben jullie nou wat met elkaar of niet?'

'Pap! Begin jij nu ook al?' Iris keek fel. 'Ik wil er geen woord meer over horen.'

Vanuit haar ooghoeken zag ze haar vader de afstandsbediening pakken. Het geluid van de televisie ging weer harder en Iris haalde opgelucht adem.

Weer ging de telefoon. Iris zuchtte. Wat nou weer?

Vanuit haar ooghoeken zag ze haar vader weer naar de telefoon grijpen die op de salontafel lag.

'Ik ben er niet,' bromde ze en ze dook weer in het tijdschrift.

'Hoogstraten,' hoorde ze haar vader zeggen en het geluid van de tv ging zachter. 'Ja, ogenblikje. Ik zal haar even geven.'

Iris zag haar vader opstaan. 'Voor jou,' zei hij en hij reikte haar de telefoon aan.

'Wie is het?' siste ze, maar haar vader had zich al omgedraaid.

'Met Iris Hoogstraten,' zei ze zacht.

'Hoi Iris, sorry dat ik zo laat op de avond nog bel.'

Iris' hersenen draaiden op volle toeren.

'Stoor ik?'

'Nee, hoor.' Terwijl Iris van kleur verschoot, luisterde ze naar de stem aan de andere kant van de lijn.

'Dag Iris, je spreekt met Willem van de filmproductiemaatschappij waar je vorige week auditie hebt gedaan.'

Iris voelde haar adem stokken. Haar hart bonkte in haar keel en haar handen trilden. 'Ja,' was het enige wat ze eruit kon persen.

'Je hebt afgelopen woensdag auditie gedaan.'

'Ja?' Iris wist van de zenuwen niet meer te zeggen dan dit ene woordje.

'Je hebt de rol.'

Het was alsof de wereld stilstond. 'Ja?'

Er klonk een lach. 'Ja, Iris.'

'Echt?'

'Echt waar.'

'Geen grapje?'

Willem lachte. 'Geloof me, Iris. We zijn blij als je ja zegt.'

Iris gaf een gil. 'Jaaaah, dank u wel! U zult er geen spijt van krijgen. Echt, ik ga vreselijk mijn best doen.'

'We vertrouwen erop dat je je best doet, maar vooral dat je jezelf blijft. Pim was erg te spreken over je. Zijn mening heeft de doorslag gegeven. Bedank hem dus maar.'

'Zal ik doen,' riep Iris en haar stem sloeg over. 'Hoe heet de film eigenlijk? En wanneer moet ik komen? Moet ik veel teksten leren?' De vragen rolden eruit. Ze wilde nu alles weten.

Willem maande haar tot kalmte. 'Morgen gaat er een persbericht uit. Ik wil je verzoeken om wat ik nu ga zeggen tot morgenochtend nog even geheim te houden.'

'Ja, ja, natuurlijk. Beloofd!'

'We gaan de populaire serie MZZLmeiden van Marion van de Coolwijk verfilmen.'

'O, echt? Wat gaaf, die boeken verslind ik.' Ze dacht terug aan de scène die ze gespeeld had tijdens de auditie en realiseerde zich dat deze haar toen al bekend voorkwam. Natuurlijk! Pim had de rol van Jim gespeeld, de jongen die de MZZLmeiden op het spoor bracht van hun onbekende vader.

'Mooi!' ging Willem verder. 'Dan hoef ik je dus niet

te vertellen dat we nog op zoek zijn naar twee andere meiden van jouw leeftijd. Dat gaat lukken, we zijn bijna rond. Allemaal nieuwe gezichten, precies wat we wilden.'

Iris slikte. 'Bedoelt u dat ik een van de meiden mag spelen?' Het duizelde haar. Kreeg ze nu een hoofdrol?

'Ja.'

'Wie dan?' Iris hijgde. Ze voelde haar hoofd bonken, maar probeerde zo rustig mogelijk te klinken.

'We vinden jou een echte Joan.'

'O.' Iris was stil. Was dit een goed teken of juist niet? Van de drie MZZLmeiden was Joan het verwende nest, een beetje naïef en altijd uit op eigenbelang. Daarbij was Joan een enorme jongensversierder en flirt. Iris had in stilte wel altijd bewondering voor haar, want ze redde zich iedere keer weer uit benarde situaties. Wat dat betreft paste die rol wel bij haar.

'Mee eens?' vroeg Willem.

'Eh... ja, prima. Dank u wel. Echt, ik ben superblij.'

'Mooi,' ging Willem verder. 'We weten dat je met school zit, dus we zullen de shoots zo plannen dat je geen lessen hoeft te missen. Waarschijnlijk op de vrijdagavond en in het weekend. We beginnen volgende week met draaien. Ik mail je een rooster, goed?'

'Ja, dat is goed. O, bedankt meneer.'

'Willem,' zei de man. 'Je mag me Willem noemen.'

'Dank u wel, Willem,' zei Iris.

'Mag ik dan nu je vader weer even om wat zakelijke dingen te bespreken?'

Iris zei gedag en gaf de telefoon aan haar vader terug. 'Hij wil jou spreken.'

Terwijl haar vader met Willem praatte, trok Iris haar moeder van de bank en sloeg haar armen om haar heen. Ze dansten door de kamer. Iris was door het dolle heen. Ze had haar eerste echte rol te pakken in een Nederlandse speelfilm. Dit was vet cool!

Phileine zegt sorry

Regisseur: Robert Jan Westdijk
Jaar: 2003
Genre: Drama
Cast: Kim van Kooten en Michiel Huisman
De cynische Phileine gaat onverwacht op bezoek bij
haar acterende vriend Max, die in Manhattan zijn
handen vol heeft aan feesten. Phileine stort zich in het
New Yorkse leven en samen met haar nieuwe vriendin
'Gulpje' maakt ze het heel wat mensen lastig, inclusief
haar vriendje Max.

De volgende ochtend vond ze de bevestiging in haar mailbox, samen met een draaischema. Het was even zoeken, maar al snel had ze door hoe ze haar eigen draaitijden moest vinden. Het viel mee. De meeste opnames waren op vrijdagavond en op zaterdag. Vier keer was ze ingeroosterd op een zondag, maar dat vond ze niet erg. Zondagen waren sowieso luierdagen.

Als ze haar huiswerk goed plande, zou het allemaal de komende weken geen problemen mogen opleveren. Met het uitgeprinte rooster voor haar neus opende ze haar Facebookpagina. Dit moest de hele wereld weten. Ze typte maar drie woorden: HET IS GELUKT. Een fotootje van haar tegenspeler was snel gevonden en kwam erbij te staan. Ze aarzelde. Mocht ze nu de titel van de film al bekendmaken? Willem had gezegd dat het persbericht er vanochtend uit zou gaan.

Ze opende de zoekmachine en zocht naar berichten over de film. Na wat zoekwerk vond ze een korte mededeling op de site van het ANP over de start van de opnames. Deze werd gelinkt aan een aantal kranten, dus ze hoefde zich geen zorgen te maken. Iedereen was op de hoogte.

Haar vingers gingen razendsnel over het toetsenbord. Tevreden leunde ze achterover. De reacties zouden vanzelf binnenstromen.

Senna was de eerste. 'Gaaf! Gefeliciteerd. Is er niet een rolletje voor mij te regelen?'

Daarna kwam haar nichtje uit Groningen. 'Super, ik bestel vast een kaartje.'

Het ging nu snel. Iris verbaasde zich over het feit dat er zoveel mensen achter hun computer zaten op de vroege zaterdagochtend. Ze keek op haar horloge. Nou ja, vroeg... het was elf uur.

Terwijl de reacties bleven komen, ging Iris op zoek naar haar tegenspeelsters. Zou daar ook al iets over bekend zijn?

Al snel vond ze het bericht dat Pim de rol van Jim zou spelen, de etterbak uit het boek die de drie mzzlmeiden wilde verraden. Ook haar eigen naam stond in het persbericht en ze glom van trots. Daar stond het: Iris Hoogstraten speelt de rol van Joan, een van de mzzlmeiden. Er stond nog geen foto bij, maar ze had al van haar vader begrepen dat er vanmiddag een fotograaf zou komen voor een fotoshoot.

Iris kon niets op internet vinden over de rest van de bezetting. Ook niet wie Parrot zou spelen, haar filmvader en wereldberoemde rockzanger. Ze was echt de eerste acteur die was aangenomen!

Dez meldde zich aan op Skype. Iris opende zijn oproep en zag het gezicht van Dez op haar scherm. 'Net wakker?'

Dez bewoog zijn hoofd wat suffig en streek zijn haren uit zijn gezicht. 'Jij niet zeker?'

Iris lachte. 'Nee man, ik heb de hele nacht niet geslapen.'

'Je had dus toch gelijk,' zei Dez met krakende stem. 'Gefeliciteerd.'

'Dank je.'

'Moest je daarom zo vroeg weg gister?'

'Eh... nee, of ja, ik was gewoon heel opgefokt, weet je.'

'Dat was te merken, ja.'

'Sorry hoor, maar iedereen zeurde aan mijn hoofd. Hans, Arja, jij... Ik kreeg het gevoel dat ik een vreselijk egoïstische bitch was.'

'Ben je toch ook.' Dez grijnsde.

'Haha, funny.' Iris wist niet goed of Dez het meende of een grapje maakte.

'Je krijgt het vast druk?'

'Ja,' zei Iris. 'Maar ze plannen het zo dat ik geen school hoef te missen.'

'En de repetities van ons stuk?'

Iris aarzelde. 'Alleen de vrijdagavonden.'

'O.'

'Maar op woensdagavond ben ik er wel, hoor!'

'Ik denk dat Hans dat niet handig vindt.' Dez schraapte zijn keel. 'En ik vind het ook jammer. We hebben nog een heleboel te oefenen.'

'Maak je niet druk. Ik red dat wel. Ik laat jullie echt niet in de steek, hoor!'

Dez woelde door zijn haar. 'Ik ga nu douchen. See you.'

'Ja. Doe dat. Bye.' Iris zag de arm van Dez naar voren komen en toen was de verbinding verbroken.

De fotograaf was ruim twee uur met haar bezig. Iris moest zich drie keer omkleden en ook haar zorgvuldig aangebrachte make-up moest eraf. De filmmaatschappij wilde een naturelfoto van haar, zei de fotograaf. Geduldig deed Iris alles wat de man haar opdroeg. Ze poseerde in allerlei standen en de man maakte wel honderd foto's. Eindelijk was hij klaar.

'Nou,' grapte Iris. 'Daar zal er toch wel eentje bij zitten die geslaagd is?'

De man keek haar wat gepikeerd aan. 'Ik maak alleen maar geslaagde foto's.'

'Tuurlijk,' haastte Iris zich te zeggen. 'Ha, hoe kan het ook anders met mij erop.' Ze forceerde een lach, maar de man lachte niet mee. Wat een chagrijn. Iris was blij toen ze de voordeur achter hem dicht deed.

Die avond en de daaropvolgende zondag werden gevuld met het beantwoorden van mails, krabbels en berichtjes. Haar telefoon stond roodgloeiend en er stond een rij personen in de wacht voor Skype.

Iris genoot met volle teugen. Ze probeerde zo rustig mogelijk te blijven, maar met al die aandacht kon je gewoon niet relaxed overkomen. Aan het eind van de zondag had ze geen stem meer over van het aantal keren dat ze had gegild, geschreeuwd en gelachen. Iedereen was gewoon heel blij voor haar.

Iris kreeg ook die maandagochtend geen rust. Niet alleen haar eigen klasgenoten wilden van alles weten, het nieuws was alle klassen al rondgegaan en allerlei leerlingen die ze niet kende, klampten haar aan. De reacties varieerden van leuk tot ronduit vervelend.

'Leuk voor je!'

'Altijd al gedacht dat jij het ging maken.'

'Niet naast je schoenen gaan lopen, hoor!'

'Ben jij dat meisje dat in die film gaat spelen?'

'Wil je vrienden worden op Facebook?'

'Wil je op mijn feestje komen?'

'Beetje overdreven allemaal, hoor.'

'Kijk niet zo arrogant.'

Zelfs leerkrachten schenen op de hoogte te zijn. De leraar wiskunde riep haar het derde uur even bij zich en sprak haar aan op haar verantwoordelijkheid. Hij begreep uit alle berichten dat ze auditie had gedaan op die bewuste woensdagmiddag en dus helemaal niet ziek was. Ze kreeg een punt aftrek.

Iris beloofde dat ze het nooit meer zou doen, maar dat ze die dag geen andere oplossing had gezien. Ze accepteerde de straf. Een acht of een zeven maakte haar niet uit. Ze had een dikke voldoende en dat was genoeg om haar punten op te halen.

'Gelukkig is het spijbelen niet voor niets geweest,' had de leraar geantwoord en ze kreeg een knipoog van hem mee. Het gaf Iris een goed gevoel. Zie je wel? Iedereen was gewoon blij voor haar.

Na de hectische eerste schooldag luwde de storm van reacties de daaropvolgende dagen iets en kon Iris weer redelijk rustig door de gangen wandelen. Natuurlijk voelde ze de blikken als ze de kantine in kwam lopen, maar ze probeerde er niet op te letten. Ze moest er maar aan wennen.

De repetitie van woensdagavond verliep goed. Hans en Arja repten met geen woord over haar nieuwe acteerjob, maar dat vond Iris niet erg. Ze deed erg haar best en kende alle teksten al uit haar hoofd. Zelfs Dez gaf haar een complimentje.

Aan het eind van de avond riep Hans de hele cast bij elkaar en vertelde dat ze volgende week vrijdag gingen doorpassen. De kleding zou die avond gebracht worden en iedereen werd geacht er te zijn. 'De coupeuse zal jullie een voor een bij zich roepen om te kijken of er nog dingen vermaakt moeten worden. Zorg dat je er bent. Voor nu bedankt en tot vrijdag.'

Terwijl iedereen het podium verliet, liep Iris naar Hans toe.

'Hans?' Haar stem trilde.

'Ja, zeg het eens.' Hans glimlachte. 'Je hebt goed gewerkt, Iris. Ik ben trots op je.'

Iris aarzelde. Wist Hans nu van haar filmrol af of niet? Arja had afgelopen zondag op haar Facebookpagina gereageerd, dus zij wist het. Had ze het haar vader verteld of niet?

'Eh... ik weet niet of je het al gehoord hebt, maar die auditie die ik heb gedaan is goed gegaan.' Ze wachtte even, maar zag aan het gezicht van Hans dat hij niets wist. 'Ik heb de rol gekregen.' Ze sloeg haar handen in elkaar. 'Goed, hè?'

Hans leek na te denken. 'Gefeliciteerd, wat een geweldige kans. Welke film?'

Iris vertelde alles wat ze wist. Als laatste meldde ze dat ze de vrijdagavonden moest missen. 'Maar dat is geen probleem voor het stuk, hoor,' voegde ze eraan toe. 'Ik ken alle tekst al en ik kan al mijn scènes dromen.'

Hans knikte. 'Dat geloof ik best,' zei hij. 'Maar weet je, Iris...' Hij wachtte even en keek naar het groepje lachende jongelui dat achter in de zaal met elkaar aan het dollen was. 'Je rol kennen en weten wat je moet doen, is niet de basis van een goede acteur zijn.'

Iris hoorde aan Hans zijn stem dat hij zijn woorden afwoog.

'Kijk nou eens naar je collega-acteurs,' ging Hans verder en hij wees naar de groep. 'Zij vormen een hechte groep.' Hij knipperde met zijn ogen. 'Wij vormen een hechte groep,' verbeterde hij zichzelf. 'Een groep die er voor elkaar is, die zich voor de volle honderd procent geeft voor deze voorstelling.'

Iris had geen idee welke kant Hans op wilde en zweeg.

Een van de jongens zwaaide. 'Hé Iris, wat wil je drinken?'

'Cola,' riep Iris.

De hand van Hans klemde haar schouder vast. 'Ik ben nog niet klaar,' zei hij zacht. De dwingende toon in zijn stem maakte Iris ongerust.

'Zorg dat je erbij bent,' vervolgde Hans. 'Het is belangrijk dat we als groep werken. Ook al ben je nog zo goed,' Hans zuchtte. 'En dat ben je.' Hij wachtte even. 'Ik wil dat je er elke repetitie bij bent.'

'Ja, sorry! Maar dat kan niet,' zei Iris die zich in een onmogelijke situatie bevond. 'Ik leg net uit dat de draaidagen op vrijdagavond zijn. Ik kan niet op twee plaatsen tegelijk zijn.'

'Precies,' zei Hans en hij liet haar schouder los. 'Je zult dus moeten kiezen.'

'Dat is gemeen!' Iris riep het uit en haar luide stem

trok de aandacht van haar toneelvrienden. 'Hoe kan ik nu kiezen? Je zegt net zelf dat het een geweldige kans is.'

Hans knikte. Hij bleef ogenschijnlijk kalm, maar Iris zag zijn ogen flikkeren. 'Ja, maar toen wist ik nog niet dat je ons daarvoor in de steek laat.'

'Maar ik laat jullie niet in de steek.'

Een aantal van haar vrienden was door het gang-pad naar het podium gelopen en luisterde mee. Heel even zochten haar ogen steun bij Dez die vooraan stond naast Arja, maar ze kreeg niet wat ze wilde. Hij ontweek haar blik en in een flits zag ze dat hij zijn hand om Arja's middel had geslagen.

Als steun? Of was er meer aan de hand? Iris kon zich even niet meer focussen. Alles gebeurde te snel. Ze voelde de onmacht door haar lichaam stromen en balde haar vuisten. Ze richtte zich weer tot Hans. 'Hoe kan ik nu kiezen uit twee topproducties?'

'Ik weet dat het moeilijk is,' zei Hans. 'En ik ben ook heel blij voor je dat je die rol hebt gekregen, maar het feit blijft dat je nu moet kiezen. Ik wil niet werken met halve krachten.'

'Pap!' Arja kwam naar voren. 'Dat kun je niet ma-ken. Wat nou als ze voor die film kiest? Dan zijn wij onze hoofdrolspeelster kwijt.'

Hans haalde zijn schouders op. 'Ik ga ervan uit dat Iris een verstandige keus maakt. En zo niet...' Hij zuchtte. 'Dan komt er wel een oplossing.'

'Maar pap, Iris kent haar teksten al, ze weet wat ze

moet doen. Is het dan zo erg dat ze er op vrijdagvond niet bij is?'

Arja kreeg bijval van de anderen.

'Ja,' riep Jonathan, een van de dansers. 'Dan oefenen we op woensdag de stukken van Iris en op vrijdag –'

'Niet echt slim,' viel Dez hem in de reden. 'Alle stukken draaien om de rol van Iris. Alleen jouw dansen niet.'

Jonathan boog zijn hoofd. 'Ja, dat is zo.'

'Precies,' zei Hans. 'Iris heeft de hoofdrol. Dat vraagt om discipline en aanwezigheid. Het spijt me, maar zo liggen de zaken.'

Het was doodstil in de zaal. Iedereen keek afwachtend naar Iris.

'Iris, je moet blijven,' zei Arja. 'Zonder jou lukt het niet.'

'Ja,' vulde Jonathan aan. 'Je kunt ons niet in de steek laten. Nog maar een paar weken.'

Iris keek naar Dez, maar die zei niets. Ze voelde haar hart bonken. Waarom ontweek hij haar blik? En waarom hield hij Arja vast?

Iris boog haar hoofd. 'Ik… ik moet hier over nadenken,' stamelde ze.

'Dat is goed,' zei Hans en hij gebaarde dat iedereen moest vertrekken. 'We zien je vrijdagavond… of niet,' voegde hij eraan toe. 'En nu allemaal naar huis.'

Terwijl iedereen de zaal verliet, deed Hans de lichten op het podium uit. Iris liep naar de kleine trap in het midden van het podium en liep naar beneden. Dez en Arja stonden haar op te wachten.

'Lullig,' zei Arja en ze wierp een boze blik op haar vader. 'Ik kan proberen om hem vanavond...'

'Nee, laat maar,' zei Iris. 'Jouw vader laat zich niet ompraten. Dat is nu juist waarom ik hem als regisseur bewonder. Ik zal moeten kiezen.'

Arja pakte haar arm. 'Je moet vrijdag komen. Je moet.'

'Maar,' Iris voelde tranen in haar ogen branden. 'Dan moet ik die rol afzeggen. Dat kan niet. Er is al een fotograaf geweest en ik sta al in het persbericht. En Willem heeft al dingen geregeld in een contract.'

'Wie is Willem?' vroeg Dez.

'De regisseur van de film,' antwoordde Iris en ze slikte. 'Ik heb gewoon geen keuze!'

'En wij dan?' Arja kneep in Iris' arm.

'Weet ik veel!' Iris rukte zich los. Ze voelde haar ogen prikken. 'Die filmrol is een kans uit duizenden, dat snappen jullie toch ook wel?' Ze keek op haar horloge. 'Ik ga naar huis. Ik moet nadenken. Ik...' Ze stokte.

'Iris.' Dez pakte haar arm vast en trok haar met zich mee naar de hoek van de zaal. 'Weglopen helpt niet.' Hij trok haar naar zich toe. 'Je weet heel goed wat je wilt,' fluisterde hij. 'Dat zei je van de week zelf. Maak het jezelf niet zo moeilijk en zeg gewoon dat je kiest voor die filmrol.'

Iris keek op. 'Maar...'

Dez legde zijn wijsvinger op haar mond. 'Ssst, ik ken je toch! Jij wilt meer dan in een amateurgezelschap spelen. Dit is je kans. Grijp die! Ik sta achter je. Echt!'

'Waarom doe je dit?' stamelde Iris. 'Wil je me weg hebben?' Ze probeerde te lachen, maar haar gezichtspieren werkten niet echt mee. Vanuit haar ooghoeken zag ze Arja en de rest naar hen staren.

'Nee, natuurlijk niet,' fluisterde Dez. 'We zijn een team. Ik speel het liefst met jou. Dat weet je toch?' Hij duwde haar nog dichter tegen zich aan. 'Maar een ongelukkige Iris vind ik erger.'

De warme blik in Dez' ogen maakte haar onzeker. 'Ik wil het allebei,' zei ze zacht.

'Volg je hart,' zei Dez en hij gaf haar een kus op haar voorhoofd. 'Dat doe ik ook en het bevalt me prima.'

Iris verstijfde. Dus toch! Dez en Arja. Ze verbaasde zich over haar heftige reactie. De afdruk van zijn lippen brandde op haar huid. 'Niet doen, Dez.' Met een boze blik duwde ze Dez van zich af. 'Ik beslis zelf wat ik wel of niet wil. Daar heb ik jou echt niet bij nodig.'

Haar woorden kwamen hard aan. Ze zag het in zijn ogen. 'Sorry,' stamelde ze en ze draaide zich om. Zonder om te kijken liep ze naar de uitgang van de zaal.

Hairspray

Regisseur: Adam Shankman
Jaar: 2007
Genre: Komedie
Cast: John Travolta en Michelle Pfeiffer
De wat stevige Tracy Turnblad heeft maar één passie:
dansen. Dan wint ze een felbegeerde plek in het
populaire tv-programma 'The Corny Collins Show'.
Van de ene op de andere dag verandert ze van outsider
in idool. Maar kan ze als gloednieuwe trendsetter ook
koningin van de show Amber verslaan en het hart van
haar grote liefde Link Larkin veroveren?

'Iris Hoogstraten.' Iris meldde zich bij de portier die haar doorverwees naar de studio. Daar ving een vrouw van middelbare leeftijd haar op.

'Kleedkamer vijf, meisje.' De vrouw glimlachte. 'Spannend zeker?'

Iris knikte. 'Ja, mevrouw.' Ze liepen door een lange gang.

'Zeg maar Henny,' zei de vrouw. Ze liep voorop de trap op. 'Het zal wel even wennen zijn voor je,' ging Henny verder. 'In de filmwereld bestaan er geen mevrouw en meneer, laat staan dat we u zeggen.'

Even later opende Henny een van de deuren en gebaarde dat Iris naar binnen mocht. 'Uw kleedkamer, mevrouw.' Ze lachte om haar eigen grapje. 'Hier is de sleutel. Alleen jij en ik hebben een exemplaar. Dus zorg dat je hem niet verliest.'

Iris pakte de sleutel van de kleedkamer aan en stapte nieuwsgierig naar binnen.

'Je wordt over een half uur in de studio verwacht,' zei Henny. 'Tot zo.'

Iris sloot de deur van haar kleedkamer en zette haar tas op de enorme kaptafel die tegen de muur was geplaatst. Met een zucht liet ze zich op de stoel vallen die in het midden van de kamer stond. De kleedkamer was niet groot, maar wel gezellig ingericht. Achter haar bevond zich een witte kledingkast met een passpiegel op de deur, aan de wand hing een metalen kluisje waarin ze haar kostbare spullen kon stoppen. Een prachtige foto van het verbouwde DeLaMar Theater in Amsterdam sierde de zijwand. Rondom de spiegel die boven de kaptafel hing, waren allemaal lampjes geplaatst. Iris herkende het van films en keek tevreden. Haar eigen kleedkamer. Wie had dat ooit gedacht?

Heel even dacht ze aan haar vrienden van de toneelvereniging die nu aan het repeteren en doorpassen waren. De mail die ze naar Hans had gestuurd, was haar laatste poging om toch bij de voorstelling te blijven. Ze beloofde dat ze zich voor tweehonderd procent in ging zetten op de woensdagavonden, zodat ze gewoon mee kon blijven doen.

In een gesprek met Willem, waarin ze had uitgelegd wat er speelde, had hij gezegd dat hij er alles aan zou doen om haar te helpen. Helaas waren de vrijdagavonden al helemaal ingepland, maar de avond van de uitvoering was te regelen. Ook hij vond dat ze best twee dingen tegelijk kon doen. Er waren genoeg acteurs die dubbele klussen hadden. Dat moest wel, want zoveel verdienen acteurs niet, had hij eraan toegevoegd.

Iris was blij met zijn steun en had alles in een mail aan Hans uitgelegd. Ze vertrouwde erop dat ze mee kon blijven doen. En nu zat ze hier... in haar eigen kleedkamer, voor haar eigen spiegel en binnenkort zou haar eigen naam op de deur staan: Iris Hoogstraten.

Ze stopte haar tas in de kluis en ging naar de studio. Uit de mails van Willem wist ze wie haar medespelers waren, maar ze had ze nog nooit ontmoet. De cast was compleet en Willem wilde deze eerste avond als kennismaking gebruiken. Alle acteurs en actrices waren uitgenodigd. Iris was best zenuwachtig, maar voelde zich op de een of andere manier ook thuis.

'Dag!' Een meisje met kort zwart haar kwam de trap op. 'Jij speelt Joan!'

Iris glimlachte. 'Iris,' zei ze en ze stak haar hand uit. 'En jij speelt Tanja?'

Het meisje knikte. 'Debby,' stelde ze zich voor. 'Leuk om je te zien. Ik ren even naar boven. Ben mijn mobiel vergeten.'

Voordat Iris wat kon zeggen was Debby al in de gang verdwenen. Ze liep de trap af en duwde de klapdeuren van de studio open.

'Ha, als dat mijn lieve tegenspeelster niet is.' Pim kwam aangesneld en hield de deurtjes voor Iris open. 'Welkom, schoonheid.'

Iris glimlachte. Die Pim was wel een charmeur, zeg. Geen wonder dat er op sets veel liefdes opbloeiden. Nou, ze liet zich niet gek maken. Ze kwam hier om te acteren, niet om relaties aan te knopen.

'Bevalt je kleedkamer?' vroeg Pim.

'Ja, hoor. Alleen een beetje klein,' grapte ze. 'Maar ik red me wel.'

Pim lachte wat overdreven en begeleidde haar naar de tafel met drankjes en hapjes. 'Wat wil je drinken?'

'Doe maar een cola.'

'Geen wijn of bier… of een mixje?' Pim wees naar de kleurige glaasjes aan het eind van de tafel.

'Nee, dank je.'

'Je bent zestien,' probeerde Pim nog, maar Iris liet zich niet gek maken. 'Ja? Dat wil nog niet zeggen dat ik het meteen op een zuipen zet. Ik ben niet zo van de alcohol.'

'Wat heerlijk onschuldig nog,' zei Pim. 'Goed van je, hoor!'

110

Iris nam de cola aan en liep naar Willem die stond te praten met de acteur die Parrot ging spelen. Iris kende hem van televisie, maar zijn naam was haar even ontschoten.

'Dag,' zei Iris.

De twee mannen stopten met praten. Willem stak zijn hand op. 'Ha Iris, leuk dat je er bent.'

Iris stak haar hand uit naar haar filmvader. 'Ik ben Iris en speel de rol van Joan.'

De man schudde haar hand. 'Hi, leuk je te ontmoeten. Willem is vol lof over je.'

'O ja?' Iris keek verlegen.

De man knipoogde. 'Ik hoop dat dat andersom ook zo is?'

'Eh... hoe bedoelt u?'

'Zeg maar jij, hoor! Je bent nu in filmland.'

'Ja, sorry... ik moet nog even wennen.'

'Geeft niets. Ik herinner me nog als de dag van gisteren dat ik mijn eerste rol kreeg.' De man zuchtte. 'Eeuwen geleden was dat.' Hij wendde zich tot Willem. 'Weet je nog, Willem? Volgens mij zat jij toen nog op de academie.'

Willem lachte en vertelde enthousiast dat hij dat nog wist. Heel even bleef Iris beleefd luisteren naar het gesprek dat zich ontspon tussen de twee mannen, maar al snel haakte ze af. Ze draaide zich om en liep naar de tafel waar ze Debby zag staan. Ook het meisje dat de rol van Hanna ging spelen was er. Ze heette Marjolein en was vet aardig. Iris genoot van de avond

111

en zelfs de slijmerige Pim viel uiteindelijk best mee.

Iris leerde iedereen kennen. Zowel de acteurs als de camera- en geluidsmensen maakten een praatje met haar. De avond vloog om. Tegen middernacht hield Willem nog een soort speech. Hij was trots op zijn groep, zei hij. Er waren nieuwe talenten aangeboord, maar ook de oudgedienden waren onmisbaar voor een goede sfeer. Hij vroeg iedereen om zijn stinkende best te doen. 'We steken er heel wat tijd, energie en vooral geld in en ik weet gewoon dat deze productie een gigasucces kan worden. En jullie bepalen dat succes!'

Er werd geklapt en gejuicht en Iris voelde zich top. Hier hoorde ze bij. De sfeer was super en iedereen was zo aardig. Het voelde alsof ze er een hele nieuwe vriendenclub bij had gekregen. Gelukkig maar, want het zou een zware tijd worden. School, de toneelclub en deze filmopnames.

'Ik wil dat jullie een band krijgen, vrienden worden, samen feestvieren,' ging Willem verder. 'Alleen dan ontstaat er iets. De chemie die ik nodig heb voor deze film, zit in jullie. Ik zal er dan ook alles aan doen om die band te laten groeien. Vandaar deze avond, het begin van een mooie periode met elkaar.'

Iedereen knikte. Iris keek om zich heen. Zo te zien had iedereen er zin in. Wat een geweldige groep mensen. Na alle negatieve verhalen over acteurs die elkaar het licht in de ogen niet gunnen, was dit wel een verademing. Willem was een goede regisseur. Hij smeed-

112

de eenheid. Dat was iets wat je van Hans niet kon zeggen. Die zaaide alleen maar tweestrijd met zijn gezeur over keuzes maken. Wat een verschil.

Willem besloot de avond met een toast. 'Op ons!'

Iedereen hief het glas en herhaalde Willems woorden.

'Morgenochtend tien uur present,' vervolgde Willem. 'Dan gaan we echt aan de slag. Tot dan! Mag ik jullie nu verzoeken om de studio te verlaten. Er staat een nachtploeg klaar om de boel in orde te maken voor morgen.'

Iris keek op haar horloge. Het was tien over twaalf. Haar vader zou wel voor de deur staan.

'Zullen we nog wat gaan drinken?' Pim liep met Debby, Marjolein en Iris mee naar de klapdeuren.

'Nee, dank je,' zei Iris. 'Mijn vader wacht op me.'

Ook Debby en Marjolein haakten af. Zij werden eveneens opgehaald.

Teleurgesteld droop Pim af.

'Wat een slijmbal, zeg,' zei Debby, terwijl ze de trap op liepen. 'Hoe oud denkt die gozer wel niet dat we zijn?' Ze keek op. 'Tenminste, ik neem aan dat jullie ook geen vijfentwintig zijn?'

'Nee,' lachte Iris. 'Ik ben zestien.'

'Ik ben zeventien,' zei Marjolein.

'Dan ben ik de oudste met mijn achttien,' zei Debby.

'Wel gaaf deze avond,' zei Iris. 'Die had ik voor geen goud willen missen.'

113

'Nee, ik ook niet,' beaamde Debby.

De kleedkamer van Iris bleek zich naast die van Debby te bevinden. Marjoleins kleedkamer lag aan de overkant van de gang, pal tegenover die van Iris.

'Tot morgen dan maar,' zei Iris en ze opende haar kleedkamerdeur. Haar tas was zo gepakt en ze snelde naar buiten.

Op de terugweg naar huis praatte ze honderduit over de kennismakingsavond. Haar vader luisterde geïnteresseerd. Tegen enen waren ze thuis. Haar moeder was nog wakker en Iris ratelde enthousiast verder.

'Dez belde nog,' zei haar moeder. 'Hij wilde weten hoe het was geweest.' Ze keek op haar horloge. 'Ik denk dat het nu te laat is om terug te bellen.'

Iris knikte. 'Ik ga naar bed. Morgen moet ik om tien uur in de studio zijn.'

'Ik ook,' lachte haar vader.

Iris gaf haar vader een knuffel. 'Dank jullie wel voor je hulp. Echt te gek, pap, dat je mij wilt brengen en halen.'

'Graag gedaan, meissie. Ik zie toch dat je hier gelukkig van wordt?'

Iris straalde. 'Ja, dit is wat ik wil.' Ze gaf haar moeder een kus. 'Welterusten.'

De eerste opnamedag verliep hectisch. Iris was ruim op tijd in de studio en verbaasde zich over de verandering. Waar de avond daarvoor nog tientallen mensen een drankje hadden gedronken, stonden nu grote schermen, decorstukken en attributen opgesteld voor de eerste opnames. De vele camera's, schijnwerpers en andere belichting vulden iedere lege plek op de vloer. Iris had haar spullen in haar kleedkamer gelegd. Haar filmkleren hingen klaar aan de kledingkast. Ze glimlachte bij het zien van het chique jurkje, de hoge hakken en de sieraden. Echt Joan, bedacht ze.

De pasmaten die ze had moeten doorgeven vorige week, waren uitstekend opgepikt. De jurk zat als gegoten en ook de schoenen waren perfect sluitend. Ze moest wennen aan de hoge hakken, maar na drie rondjes in haar kleedkamer te hebben gelopen, kreeg ze het te pakken. Recht vooruit kijken en goed op de bal van je voet steunen.

Na het omkleden moest ze naar de make-upafdeling die zich beneden naast de studio bevond. Met haar schoenen in de hand liep ze de trap af. De make-upruimte was niet groot, maar wel efficiënt ingericht. Achter een enorme spiegel stonden drie stoelen. In de hoek stond een kleine bank met een bijzettafeltje waar tijdschriften op lagen. Er waren drie meisjes bezig met het klaarzetten van de make-up. Debby en Marjolein zaten al in een stoel.

'Ga zitten,' zei een van make-updames. Ze stelde zich voor als Janice en pakte een cape. 'Zo te zien ben jij Joan. De komende weken doe ik jouw make-up en haar.'

Iris knikte en ging zitten. Haar schoenen werden door Janice onder de kaptafel gelegd. Iris ontspande.

Vanuit haar ooghoeken zag ze dat Debby en Marjolein ook kennismaakten met hun visagiste.

'Zo,' zei Janice en ze opende een potje crème. 'Daar gaat-ie!'

Geduldig liet Iris zich opmaken en kappen. Terwijl Janice haar uiterste best deed, zag Iris zichzelf langzaam veranderen in Joan, het rijke verwende zusje in de film. Ook de andere twee meiden werden omgetoverd in hun filmkarakter. Terwijl de visagistes druk bezig waren, werd er gezellig gekletst. De sfeer in de make-upruimte was goed. Iris genoot van het gezelschap en verheugde zich op de eerste opnames. Als ze haar tekst maar niet vergat. Het was geen grote scène die ze vandaag opnamen. Iris had maar vier zinnen, maar toch… Zo'n eerste draaidag was superspannend.

'Even ogen dicht,' riep Janice, en zonder een antwoord af te wachten spoot ze zowat een halve bus haarlak leeg op Iris' kapsel. Met haar ogen dicht voelde Iris de nevel op haar lichaam neerdalen. Gatver, wat stonk dat. Ze probeerde haar adem in te houden, maar Janice ging maar door met spuiten. 'Wat zouden we zijn zonder hairspray,' riep ze vrolijk.

Iris hoestte. 'Ik denk een stuk gezonder.'

Eindelijk was Janice klaar. Iris mocht uit de stoel stappen.

'Vet cool,' riep Debby die haar hoofd bewonderend draaide.

'Even niet doen,' riep haar visagiste die net bezig

was met het stylen van haar haar.

'Oeps, sorry!' Debby keek weer voor zich uit, maar bleef via de spiegel bewonderend naar Iris kijken. 'Je bent zo echt een bitch eerste klas.'

'Dank je,' zei Iris.

'Bitches zeggen geen dank je,' reageerde Marjolein.

Iris draaide in het rond en bekeek zichzelf in de spiegel. Ze voelde Joan bij haar naar binnen kruipen. 'Ik denk toch dat dit jurkje niet bij de gelegenheid past.' Haar stem klonk venijnig.

Janice was zichtbaar geschrokken. 'Niet? Maar ik vind het juist te gek staan.'

Iris deed net of ze dat niet had gehoord. 'En ik hoop toch wel dat je Chanel hebt gebruikt op mijn lippen?' Ze kwam helemaal in haar rol. Met een venijnig gebaar pakte ze de lippenstift op van de kaptafel en bekeek het label. 'Als ik het niet dacht, een goedkoop merk.' Ze draaide zich om. 'Volgende keer koop je Chanel, begrepen?'

Debby en Marjolein schoten in de lach.

'Echt Joan!' riep Marjolein.

Janice ontspande en forceerde een glimlach. 'O, je maakt een geintje?'

'Ik?' riep Iris. 'Een geintje? Ik zou niet durven! Ik, Joan van den Meulendijck, maak geen grapjes. Dit is pure ernst.'

'Kappen, zussie,' zei Debby. 'Verwend nest!'

Iris trok haar hakken aan en waggelde overdreven naar de deur. 'Doe vooral rustig aan, meisjes. Werk

117

alle pukkels en vlekken goed weg, anders vallen jullie zo in het niet bij mijn perfecte verschijning.' Ze hief haar hand. 'Tot zo!'

Een lachsalvo klonk toen ze de gang in liep en Iris besefte dat ze het getroffen had. Het was supergezellig hier.

Haar entree in de studio riep bewondering op bij Willem. 'Ha, die Joan,' riep hij. 'Ongelooflijk, zeg. Je bent het echt.'

Iris stak haar hand gestrekt naar voren uit. 'Aangenaam, Joan van den Meulendijck. Wie bent u?'

Willem maakte een buiging en pakte haar hand. 'Guillaume,' zei hij. 'En chanté.' Hij trok Iris naar zich toe. 'Gewoon Willem in het Frans,' fluisterde hij.

Iris glimlachte en wist dat ze zich hier op haar gemak ging voelen.

You Got Served

Regisseur: Chris Stokes
Jaar: 2004
Genre: Komedie/Muziek
Cast: Omarion Grandberry en Marques Houston
Elgin en David zijn vrienden en dansen bij de beste
dansgroep van de buurt. Ze dromen ervan ooit hun
eigen hiphopstudio te openen. Door een ruzie valt hun
dansgroep uit elkaar. Als er bij MTV *een wedstrijd*
wordt gehouden, doen David en Elgin ieder met een
eigen groep mee. Maar om te winnen moeten ze samen
een team vormen.

'Chocolademelk?' Dez wurmde zich door de vele tassen heen die op de kantinevloer lagen en keek Iris vragend aan.

'Nee, dank je. Ik heb al.' Iris tilde haar bekertje op en ging verder met haar gesprek. 'Het is allemaal net een droom.' Ze keek haar klasgenoten die rondom haar zaten uitdagend aan. 'Echt, al die beroemde acteurs zijn vet aardig. En Pim, je weet wel die leuke soapie?' Ze wachtte even en zag dat iedereen ademloos luisterde. 'Nou, die heeft een oogje op me.'

'Nee? Echt?' Er klonken uitroepen van verbazing en Iris genoot van alle aandacht. Ze wist dat ze wel een beetje overdreef, maar iedereen was zo belangstellend. Ze moest die aandacht gewoon vasthouden.

Vanuit haar ooghoeken zag ze Dez naar de bar lopen. 'Alles is zo professioneel,' ging ze verder. 'Ik heb een eigen kleedkamer.'

Weer hoorde ze bewonderende o's en ahs. 'En een eigen visagiste.'

'Een wattes?' riep Malid.

'Een visagiste,' herhaalde Senna. 'Dat is iemand die je make-up doet.'

'Nou, ze doet niet alleen mijn make-up,' zei Iris. 'Ze doet ook mijn haar, houdt mijn huid schoon en geeft zelfs massages.'

Er klonk gefluit.

'Ik geloof dat ik ook acteur wil worden,' riep Jort. 'Waar kan ik me inschrijven?'

Iris lachte. 'Dat gaat niet zomaar. Je moet wel acteerervaring hebben.'

'Heb ik toch,' ging Jort verder. 'Ik acteer de hele dag.' Hij sloeg op zijn borst. 'Als de coolste dude op deze school moet je over heel wat acteertalent beschikken.'

'Dat bedoelt Iris niet,' zei Dez die net kwam aanlopen met een beker warme chocolademelk.

Jort draaide zich om. 'O? En jij gaat mij nu zeker vertellen wat ze wel bedoelt?'

Dez blies in zijn beker. 'Niet echt.' Hij ging op een stoel zitten en nam een slok.

'Ik bedoel,' zei Iris die de sfeer wilde vasthouden, 'dat je toch wel echt op een podium moet hebben gestaan. Dez en ik zitten al jaren op een toneelvereniging. Zoiets telt.'

Jort was nog niet overtuigd. 'En waarom is Dez dan nog geen acteur?'

'Omdat ik niet zo nodig beroemd hoef te worden,' zei Dez.

Er viel een stilte.

'Oei, die zit,' mompelde Malid en Iris voelde alle blikken op haar gericht.

'Bespeur ik hier jaloezie?' Malid leek er genoegen in te scheppen om het vuur aan te wakkeren.

Dez reageerde niet en Iris zocht koortsachtig naar woorden om het gesprek een andere wending te geven. 'Je moet wel talent hebben en veel doorzettingsvermogen.'

'Thanks!' zei Dez en hij stond op. 'Weten we dat ook weer.'

'Nee, Dez,' riep Iris geschrokken. 'Ik bedoel niet dat jij niet...'

Op dat moment ging de bel. Iris' woorden verdwenen in het lawaai van schuivende stoelen en tafels. Dez was over een tafel gesprongen en verdween in de richting van de kluisjes.

'Dez, wacht!' Iris duwde een tafel opzij, maar werd geblokkeerd door een groepje brugklassers. Machteloos moest ze toekijken hoe Dez in de gang verdween.

'Laat hem toch,' siste Malid die achter haar kwam staan. 'Zo'n talentloze jongen zonder doorzettingsvermogen is toch niets voor jou?'

Iris gaf Malid een duw en wurmde zich tussen de brugpiepers door.

'Hey,' riep een van de meiden die ze probeerde te passeren. 'Jij bent die griet die in de film speelt, toch?'

'Mag ik er even door?' Iris hijgde.

'Ja of nee?' Het meisje bleef staan en met haar bleven al haar klasgenoten wachten. Iris kon geen kant op.

'Eh… ja,' zei Iris. 'Moven!'

Er klonk verontwaardigd gemompel.

'Wat een kapsones, zeg,' klonk er uit de groep.

'Ze denkt zeker dat ze meer is dan wij.'

'Ja, die griet sucks!'

Iris haalde diep adem. 'Fijn om te horen, mag ik er nu even langs?'

De groep week uiteen en Iris snelde naar de gang waar zich de kluisjes bevonden. Dez was in geen velden of wegen meer te bekennen. Teleurgesteld liep ze naar de ijzeren trap aan het eind van de gang. Ze hadden Engels in lokaal 312 op de derde verdieping. Normaal gesproken zou ze de hoofdtrap genomen hebben, maar ze had geen zin om weer terug door de kantine te gaan. Dan maar een keer de noodtrap.

122

Achter haar hoorde ze voetstappen.

'Iris, wacht!'

Iris herkende de stem en hield haar pas in.

'Trek het je niet aan.' Het was Senna.

'Doe ik ook niet.'

Ze liepen samen de trap op.

'Jawel, dat doe je wel,' ging Senna verder. 'Je laat je opfokken en daardoor zeg je de verkeerde dingen.'

Iris zuchtte. 'Iedereen wil ook opeens wat van me.'

'Ja, maar dat doe je zelf.' Senna glimlachte. 'Je zit me daar een potje op te scheppen.'

'Opscheppen? Ik?' Iris voelde oprecht verbazing. 'Ik vertelde alleen maar...'

'Je vertelde het zo dat iedereen wel moest luisteren.' Senna legde haar hand op Iris' schouder. 'Je kickt op alle aandacht. Geef maar toe.'

Iris dacht na. 'Hmm.'

'Nou, dan moet je ook accepteren dat er luisteraars zijn die jouw succes niet zo goed *handelen*, zoals Dez.'

'Dez zeurt!' Iris schrok van haar boze toon. 'Ja, sorry hoor! Maar alles wat ik zeg, ziet hij als een persoonlijke aanval. '

'En jij dan?' Senna bleef staan. 'Volgens mij reageer jij ook wel erg fel op Dez. Wat is er toch met jullie?'

Iris haalde haar schouders op. 'Geen idee, maar leuk is anders.'

Ze kwamen op de derde verdieping en liepen de gang in.

'Zie je dan niet dat hij gek op je is?' Senna ging iets sneller lopen en draaide zich om.

Iris stond stil. 'Doe effe normaal,' siste ze. 'Hij is gewoon jaloers.'

Er kwam een groepje leerlingen het lokaal naast hen uit.

'Ja, jaloers op al die sensatiegieren die om jou heen cirkelen,' fluisterde Senna. Ze wachtte even totdat alle leerlingen de trap af gingen.

'Dacht je dat ik het leuk vind dat opeens iedereen je vriendin wil zijn?' ging Senna verder.

Iris haalde haar schouders op. 'Ik ben nu even populair. Nou en? Dat gaat vanzelf wel weer over.'

'Niet als jij iedere dag verslag doet van allemaal coole dingen.'

'Zoals?' Het begon Iris te irriteren dat ook Senna aan het mopperen was op alle aandacht die ze kreeg.

'Ja, weet ik veel. Gewoon. Hot stuff.' Ze dacht na. 'Neem die Pim.'

'Wat is er met Pim?'

'Je zegt dat-ie een oogje op je heeft.'

'Is ook zo.' Iris had geen idee waar dit gesprek heen ging.

'Fijn voor jou, maar moet je dat zo expliciet zeggen?'

'Het is de waarheid.' Iris' stem trilde. Waarom stond ze zich te verdedigen?

'Ja, maar soms is het niet altijd handig om de waarheid te vertellen.'

Iris gaf het op. 'O, dus nu suggereer je dat ik moet liegen?'

'Nee, je snapt het niet,' begon Senna, maar Iris liet haar niet uitpraten.

'Laat maar. Van je vrienden moet je het hebben. Dez... jij...' Met grote stappen liep Iris bij haar vriendin vandaan. 'Zoek het lekker uit, ja!'

Ze schoot lokaal 312 in.

'Hey, mijn favoriete filmster.' Malid kwam naar haar toegesneld. 'Mag ik een handtekening van je?' Zijn ogen twinkelden.

'Ach, hoepel op, man!' snauwde Iris en ze liep naar haar plaats. Vanuit haar ooghoeken zag ze Dez zitten.

Malid speelde de verbaasde onschuld. 'Wat een kapsones al.' Hij wapperde met zijn handen. 'Nog even en we moeten u zeggen.'

Iris ging aan haar tafel zitten en pakte haar spullen uit haar tas. Ze zou geen woord meer zeggen. Nooit meer!

De hele dag ontweek Iris haar vrienden. Op zich was dat niet zo moeilijk, want al haar vrije tijd werd opgeslokt door wildvreemde leerlingen die haar bewonderend aanspraken. Het compenseerde de pijn die ze diep vanbinnen voelde. Ondanks alle aandacht was ze niet gelukkig. Haar beste vrienden lieten haar in de steek. Of was het andersom? Liet zij hen in de steek? Iris dacht terug aan alles wat ze de afgelopen dagen had gezegd en gedaan. Ze had misschien wel wat fel gereageerd hier en daar. Maar was dat niet normaal in deze omstandigheden? Vrienden moesten dat toch begrijpen? Ze schrok van haar eigen gedachten. Vrienden moesten niets! Verwachtte ze niet te veel van haar vrienden? Aan de andere kant was het zoals het was, ze kon de situatie niet veranderen. Ze had de hoofdrol in een speelfilm. Dat was haar wereld, daar wilde ze over vertellen… aan haar vrienden. En als ze haar ding niet kwijt kon bij hen, dan waren het geen echte vrienden, toch?

Ook de volgende twee dagen verliepen op dezelfde manier. Iris verbaasde zich over het feit dat ze zoveel nieuwe vrienden kon krijgen. Vrienden die graag naar haar luisterden. Zelfs leerlingen uit de zesde klas spraken haar aan en vroegen of ze bij hen wilde komen zitten in de pauzes. Al snel had ze een totaal andere vriendenkring en ze genoot van de jaloerse blikken die ze opving van haar eigen klasgenoten. Hadden ze haar maar niet moeten pesten! Eigen schuld, dikke bult.

'Moet je niet naar toneel?' Iris' moeder wees op de klok. 'Je bent laat.'

Iris aarzelde. Ze was eigenlijk helemaal niet van plan om naar toneel te gaan. Na de mail van afgelopen weekend had ze niets meer van Hans gehoord. Wat betekende dat? Dat ze gewoon kon komen oefenen? Of dat ze was verbannen?

En hoe kon ze ooit met Dez samen een scène spelen als ze hem al drie dagen had ontlopen? Na de confrontatie van maandagmorgen hadden ze niet meer met elkaar gesproken. Het zou geheid heibel worden.

'Het regent pijpenstelen,' hoorde Iris haar vader zeggen. 'Zal ik je brengen?'

'Nou...' verder kwam Iris niet.

'Ja, doe maar, Peter,' zei haar moeder. 'Straks vat ze nog kou. Met zo'n druk filmschema mag ze niet ziek worden.'

'Beginnen jullie nu ook al?' riep Iris.

'Hoezo?' Haar moeder keek verbaasd. 'Ik zeg alleen maar –'

'Mam, ik ben niet ziek en ik word ook niet ziek. Je kent me toch? Wanneer was ik voor het laatst ziek?'

'Dat is waar,' zei haar vader. 'Nou, ga dan maar gauw... op de fiets.'

Iris hoorde de lach in zijn stem. 'Geen sprake van,' zei ze. 'Het zou ondankbaar zijn als ik zo'n aanbod afsloeg. Je mag me brengen.'

Haar vader stond op en sloeg zijn arm om haar heen. 'Zo mag ik het horen!' Hij drukte haar tegen zich aan. 'Wij Hoogstratens laten ons niet zomaar van alles aanpraten, toch?'

Iris knikte. Haar vader had gelijk. Ze moest zich niet zo laten meeslepen door wat anderen zeiden of deden. Zij bepaalde!

Haar vader gaf haar een kus. 'Pak je jas, ik start de auto.'

Even later zette hij haar af bij het theater. 'Veel plezier, tot straks.'

Iris ging naar binnen. Ze was precies op tijd.

Arja's stem schalde door de zaal. Iris glimlachte. Zo te horen was Hans begonnen met de muzikale gedeeltes. Arja zong, zoals altijd, prachtig. Iris liep de zaal in en ging op een van de stoelen langs het middenpad zitten, vlak achter de andere spelers. Dez zat op de voorste rij, ze herkende zijn bos donkere krullen uit duizenden.

De stem van Arja galmde nog na toen Hans de volgende scène aankondigde. 'Derde akte, het park.'

Een aantal spelers stond op, waaronder Dez. Ook Iris ging staan. Dit was de scène waarin ze de ruzie met Dez moest spelen. Mooi, ze was er klaar voor.

'Arja, ken je de tekst al?' Hans liep naar zijn dochter en gaf haar het draaiboek. 'Je komt op van links, loopt dan naar de lantaarnpaal en –'

'Ja, ja, ik weet het,' zei Arja en ze verdween achter de coulissen.

'Dez, waar ben je?' Hans draaide zich om. 'Help haar, wil je?'

Dez, die aan de rand van het podium stond, knikte. Heel even keek hij naar Iris die het podium op liep via de kleine trap in het midden, maar toen draaide hij zich om.

'Oké, jongens,' riep Hans die achteruitliep tot vlak bij de rand van het podium. Met zijn rug naar de zaal zwaaide hij met zijn arm. 'Begin maar.'

Iris stond op de bovenste trede en keek tegen de rug van Hans aan. Hij had haar kennelijk nog niet opgemerkt. Iris kuchte. 'Mag ik er even langs?'

Hans draaide zich om. 'Iris? Wat doe jij hier?'

Iris was even van haar stuk gebracht. 'Eh... wat ik altijd doe op woensdagavond... oefenen.'

Arja en Dez, die ondertussen op het podium waren gekomen, keken zwijgend toe.

'Heb je mijn mail niet ontvangen?' vroeg Hans die duidelijk in verlegenheid was gebracht.

Iris schudde haar hoofd. 'Nee, hoezo?' Ze schrok.

Hans sloeg zijn arm om haar schouder en begeleidde haar het trappetje af. 'Nee, ik heb je geantwoord naar aanleiding van jouw... eh... mededeling, zeg maar.'

Het was nu doodstil in de zaal. Iris voelde de blikken van Arja en Dez in haar rug, maar ze durfde niet om te kijken. De groep spelers in de zaal ontweek haar blik, maar Iris kon merken dat ze zich ongemakkelijk voelden.

'Iris, luister,' ging Hans verder. 'Ik heb besloten dat Arja jouw rol overneemt.'

'Ja, dat weet ik,' zei Iris. 'Voor de vrijdagavond.'

'Nee, voor alle avonden,' zei Hans en zijn gezicht stond ernstig. 'Arja speelt nu de hoofdrol, samen met Dez.'

'Maar...' Iris voelde het bloed uit haar gezicht wegtrekken. 'Arja zingt.'

Hans knikte. 'Arja zingt en speelt nu. Het is niet anders. De anderen kruisen met hun rol jouw scènes. Alleen Arja kan het overnemen.'

129

Langzaam drong het tot Iris door wat Hans gezegd had. Ze lag eruit! Hij had haar rol definitief aan Arja gegeven.

'Je zet me eruit?' stamelde Iris.

Hans knikte. 'Je laat me geen andere keus. Jouw mail verandert daar niets aan.'

'Je kiest voor je dochter!' riep Iris.

'Nee, jij kiest voor de film,' zei Hans. 'Je bent een goede actrice, Iris. Ik had je graag in de productie willen houden, maar ik werk alleen met mensen die zich volledig inzetten. Het spijt me.'

'Ja, dat zal wel,' mompelde Iris. Diep vanbinnen wist ze dat Hans gelijk had, maar ze was te koppig om het toe te geven. Ze hief haar hoofd. 'Oké, dan niet!' Ze draaide zich om. 'Veel succes allemaal. Ik ga tenminste voor mijn droom. Ik blijf niet amateuristisch bezig.' Met grote stappen liep ze door het middenpad en zonder om te kijken verliet ze de zaal. Pas buiten liet ze haar emoties gaan.

'Stelletje sukkels!' Haar stem verloor het van de harde wind. 'Ik haat jullie allemaal! Horen jullie mij? Ik haat jullie!'

Het begon weer te regenen, maar Iris merkte het niet. Haar tranen vermengden zich met de regendruppels. Het was gewoon niet eerlijk! Waarom moest ze nu kiezen? Het voelde alsof de bodem onder haar voeten was weggeslagen. Ze was haar oude vertrouwde toneelvrienden kwijt. Hoe leuk het op de filmset ook was, dit gedwongen afscheid wilde ze helemaal niet.

Ze kon het Hans niet kwalijk nemen, hij ging voor kwaliteit. Net als zij! Jammer dat die twee niet samengingen.

Terwijl de striemende regen haar kleding langzaam doorweekte, liep Iris de straat uit.

Love Actually

Regisseur: Richard Curtis
Jaar: 2003
Genre: Komedie
Cast: Hugh Grant en Keira Knightley
De film volgt het liefdesleven van acht mensen in de
aanloop naar kerst. Het lijken acht losse verhalen.
Zo wordt de premier van Engeland verliefd op zijn
dienstmeisje, terwijl zijn zus huwelijksproblemen heeft.
Een vader en zijn stiefzoon moeten het verlies van de
moeder verwerken, terwijl de zoon tot over zijn oren
verliefd is op een klasgenootje. Uiteindelijk blijkt dat
alle hoofdpersonen met elkaar verbonden zijn en staat
de liefde centraal in hun leven.

De weken vlogen voorbij. Iris concentreerde zich op
haar filmrol en stopte al haar vrije tijd in haar huiswerk, zodat haar schoolprestaties er niet onder hoef-
den te lijden. Het werken op de set in de weekenden

was echt top. Iris genoot volop van haar nieuwe job. Er hing een goede sfeer en het leek wel of iedereen vrienden van elkaar was.

Na een week school was Iris blij met het weekend. Van vrijdagavond tot zaterdagavond en soms zelfs tot zondagavond was ze tussen gelijkgestemden. Mensen die wilden acteren en daar alles voor over hadden.

Willem prees haar doorzettingsvermogen en acteertalent. Dat ze zijn aanwijzingen direct oppikte en toepaste, maakte dat ze ver kon komen, zei hij. Iris waardeerde zijn complimenten. Als Willem zoiets zei, dan was het ook zo. Dat had ze de afgelopen weken wel gemerkt.

Haar filmzussen waren net zo professioneel als zij. Ook zij werkten keihard en werden met de dag beter. Marjolein had al eerder een rolletje gespeeld in een andere film en Debby had twee keer zo'n grote productie meegemaakt. Eén keer samen met Pim.

Iris was de enige debutant op de set, maar zo voelde het niet. Niemand liet merken dat ze minder was, integendeel. Iedereen was reuze aardig voor haar. Ook Pim. Hij mocht dan wat uitsloverig overkomen, hij was eigenlijk best grappig en lief.

Het leukste vond Iris nog de nazitjes. Het was hartstikke gezellig na afloop van de opnames. Meestal gingen ze met zijn allen nog wat drinken in het café naast de studio. Van haar ouders mocht Iris op de vrijdag- en zaterdagavond tot een uur of twaalf blijven. Op de zondagen dat ze moesten draaien, was ze rond negen uur thuis.

134

Op school probeerde ze zo min mogelijk te praten over haar filmwerkzaamheden. Zelfs als er expliciet naar gevraagd werd door haar klasgenoten, vermeed ze al te veel details. Ze zei dat het leuk was, dat het goed ging... meer niet. Ze had geen zin meer in misverstanden. Tegen Senna en Dez deed ze koeltjes. Er was geen ruzie, geen gedoe... niets. Eigenlijk was dat nog het ergste: er was helemaal niets meer. Ook Arja had niets meer van zich laten horen na die woensdagavond op de toneelvereniging.

Iris merkte wel dat haar Facebookvrienden wisselden. Vreemden wilden vrienden worden, oude vrienden lieten niets van zich horen, maar volgden haar nog wel. Ach, het kon haar niet schelen. Ze moesten vooral doen wat ze niet laten konden.

Haar nieuwe vrienden van de set waren wel enthousiaste bezoekers. Bijna elke dag was ze druk in gesprek met haar filmcollega's. Vooral Pim zocht haar dagelijks op.

Debby had haar al een paar keer gewaarschuwd. 'Pas op voor Pim,' zei ze dan. 'Hij meent het niet echt. Ik ken hem. Hij wil alleen maar jagen.'

In het begin had ze hem wat afgehouden. Korte antwoorden, niet meteen reageren op Facebook en ook op de set niet te dicht in de buurt komen. Het leek wel alsof dit hem juist aantrok. Hoe meer ze hem ontweek, hoe harder hij zijn best deed om contact te zoeken. De woorden van Debby gonsden constant door haar hoofd, maar ze kon Pim niet betrappen op onwaarheden en gaf hem het voordeel van de twijfel.

Na een tijdje liet ze haar reserves varen. Pim hielp haar met haar teksten, vroeg geregeld hoe ze zich voelde, was belangstellend naar haar schoolleven... Iris merkte dat ze zijn aanwezigheid op prijs begon te stellen en dat ze steeds meer over zichzelf losliet. Zelfs het gedoe met Hans had ze hem op een avond in vertrouwen verteld.

'Echte vrienden leer je pas kennen als je succes hebt,' had hij gezegd. En daar was ze het mee eens.

Pim werd steeds meer haar maatje. Hun gesprekken werden ook persoonlijker. Pim leek dan wel stoer, maar hij had een boel meegemaakt in zijn jeugd. Iris vond het fijn dat hij haar vertrouwde. Ze wilde dat vertrouwen niet beschamen.

Het was vrijdagavond. Zoals altijd gingen ze na de opnames met zijn allen nog wat drinken in het café. Het was erg gezellig en na wat gesprekken hier en daar belandde ze met Pim op de halfronde bank in de hoek van het café. Hij legde zijn arm achter haar langs op de leuning van de bank en schoof dicht naar haar toe. Met zijn hand op haar schouder voelde het behoorlijk intiem. Wat ongemakkelijk keek Iris naar Debby en Marjolein die tegenover haar zaten, maar de meiden waren druk in gesprek met anderen. Ze hadden niets in de gaten. Iris maande zichzelf tot de orde. Die arm had niets te betekenen. Ze waren toch vrienden?

'Eindelijk even ontspannen,' zei Pim terwijl hij zijn

glas met zijn andere hand optilde. 'Proost, op ons.'

Iris schoot in de lach. 'Hoezo... ons?'

Pim boog voorover, zijn mond was nu vlak bij haar oor. 'Jij en ik, lieve Iris.'

Iris kreeg een rood hoofd. 'Ik ben je lieve Iris niet,' zei ze zacht maar beslist en ze keek of iemand haar gehoord had. Ze krabde aan haar wang.

'Dat weet ik,' ging Pim verder. 'Jammer genoeg.' Hij wachtte even. 'Ik zeg alleen maar dat ik je lief vindt... heel lief zelfs. Daar kun je toch niets op tegen hebben?'

'Eh... nee.' Iris baalde dat ze zich zo liet kennen. 'Ik dacht –'

Ze voelde een vinger van Pim op haar lippen. 'Niets zeggen. Gewoon even luisteren.'

Iris voelde elke vezel van haar lichaam aanspannen. Ze kon geen kant op. Ze moest wel luisteren.

'We zijn vrienden,' fluisterde Pim. 'Maar ik wil meer.'

Iris zweeg. Ze voelde zijn warme adem kriebelen in haar haren. Haar wang jeukte en weer krabde ze.

'Ik zou heel graag willen dat je wel mijn lieve Iris bent,' ging Pim verder en hij gaf haar een kus op haar oor. 'Alsjeblieft, Iris. Zeg ja.'

Iris voelde het bloed naar haar hoofd stromen. Natuurlijk vond ze hem ook leuk. Maar zo leuk als in verliefd? Ze wist het niet. De waarschuwingen van Debby maalden door haar hoofd. 'Pas op voor Pim. Hij wil alleen maar jagen.'

Iris kon geen beslissing nemen. Niet nu!

'Sorry, ik...' Ze duwde Pim iets van zich af en stond op. 'Even naar het toilet.'

De koele ruimte achter de deur met het bordje DAMES maakte haar wat rustiger. Ze leunde voorover over de wasbak en keek naar zichzelf in de spiegel die boven de kraan hing. Haar gezicht zag er vlekkerig uit. De verwijderde make-up liet altijd wel wat sporen na de eerste uren, maar deze vlekken kwamen niet van de make-up. Iris herkende ze meteen. 'O nee!' mompelde ze.

Jaren geleden, op de basisschool, had ze een soort allergie gehad, waarvoor ze naar een huidarts moest. Dezelfde rode vlekken in haar gezicht jeukten verschrikkelijk en gingen maar niet weg. Geen zalfje of pilletje hielp en ook de dermatoloog kon niets vinden. Hij vertelde dat het psychisch was. Angst, stress of andere spanning kon deze vlekken veroorzaken. 'Was er niet iets aan de hand?' had hij gevraagd. 'Waren er problemen?'

Iris had verbaasd gereageerd en heftig ontkend dat er ook maar iets van spanning was in haar leven, maar diep in haar hart wist ze wat de oorzaak was. Het pesten op school! De constante angst dat er weer iets geroepen zou worden. Het duwen, schelden en buitensluiten maakten haar gek. Die dag besloot ze er iets aan te doen. Die vlekken moesten weg, het pesten moest ophouden. Met de hulp van haar juf leerde ze hoe ze voor zichzelf moest opkomen, hoe ze zich moest bewegen, wat ze kon zeggen en doen. En de vlekken verdwenen. In al die jaren waren ze niet meer teruggekomen.

Iris staarde naar haar gezicht. Niet nu! Een actrice met vlekken kon echt niet. Ze draaide de kraan open en maakte een kommetje van haar handen. Even later duwde ze haar gezicht in het koude water. Het voelde goed. De warmte verdween uit haar gezicht.

Voorzichtig hief ze haar hoofd en keek weer in de spiegel. De vlekken waren er nog steeds. Achter haar ging de deur open en Debby kwam binnen. 'Wat heb jij nou?'

Iris pakte een handdoekje van de stapel en depte haar gezicht droog. 'O, niets.'

'Maar je zit helemaal onder de vlekken!'

'Van de make-up, denk ik,' loog Iris. 'Gaat straks wel weer weg.'

'Jee, wat sneu! Ben je allergisch?'

Iris glimlachte. 'Geen idee.' Ze aarzelde. 'Zeg, Deb,' zei ze toen. 'Je had gelijk.'

'Ik heb altijd gelijk,' zei Debby en ze grijnsde. 'Waarover?'

'Over Pim.'

'O?' Debby keek nieuwsgierig.

'Hij vroeg net verkering,' stamelde Iris.

'Je meent het!' Debby leek geschrokken. 'Niet intrappen.' Ze kwam naar Iris toegelopen en pakte haar beide schouders beet. 'Geloof me. Niet doen!'

'Ik heb nog niets gezegd,' vertelde Iris. 'Waarom

denk je dat ik hier sta.' Ze keek in de spiegel. 'Ik ben meteen de wc in gerend. Waarom denk je dat ik al die vlekken heb. Dat is gewoon van de zenuwen.'

'Wat heeft hij je nog meer op de mouw gespeld?'

Iris haalde haar schouders op. 'Het klonk allemaal heel oprecht.'

'Dat zal best. Pim is acteur, weet je nog.'

Iris zuchtte. 'Hij vertelde over zijn rotjeugd, zijn vader die hem sloeg, zijn beste vriend die overleden is vorig jaar. Allemaal ellende dus. Ik vond het gewoon rot voor hem.'

'Hoor je wat je zegt?' reageerde Debby. 'Zo doet-ie dat. En je trapt er nog in ook.'

Iris keek op. 'Bedoel je dat het allemaal niet waar is?'

'Ach, arme meid.' Debby omhelsde haar. 'Die jongen is gewoon niet te vertrouwen. Ik zei het toch? Je bent er ingetuind als een groentje. Zo naïef!' Debby liet haar los en keek ernstig. 'Maar goed dat ik je op tijd red. Je wilt toch niet uitgelachen worden door je collega's? Het is gewoon een spel. Zorg jij nou maar dat je hem dumpt.'

Iris knikte. 'Hoe weet je dit eigenlijk allemaal?'

Debby zuchtte. 'Van mijn vorige rol.' Ze aarzelde. 'Dat heb ik toch verteld? Hij heeft het bij mij ook geprobeerd.'

'Wat?' Iris schoot in de lach. 'Wat een dombo. Hij had toch kunnen weten dat jij...'

'Ja, stom hè?' Debby lachte. 'Hij probeert het volgens mij bij iedere debutant. Lekker makkelijk, denkt hij. Beetje zielig doen en hup, ze vallen voor me.'

Iris rechtte haar rug. 'Nou, dan kent hij mij niet goed. Ik ga hem eens precies vertellen wat ik van hem vind.'

Debby legde een hand op haar arm. 'Eh... doe dat morgen maar,' zei ze. 'Je ziet er niet uit nu.'

Iris knikte. 'Je hebt gelijk. Morgen!' Ze draaide zich om. 'Thanks!'

'Geen dank,' riep Debby. 'Daar zijn we vrienden voor.'

Iris was linea recta van het toilet naar buiten gelopen, zonder iemand gedag te zeggen. Vanuit haar ooghoeken had ze Pim nog zijn hand zien opsteken, maar ze had niet de moeite genomen terug te zwaaien. Hij kon de pot op.

En nu was het zaterdagochtend. De opnames waren in volle gang. Iris was blij dat de rode vlekken vanochtend verdwenen waren. Ze moest haar emoties onder controle houden. Dat was haar enige middel om de vlekken de baas te blijven. Pim kreeg haar niet meer op de kast. Na haar vertrek gisteravond moest de boodschap toch duidelijk zijn? Als hij toch iets zou proberen, zou ze hem haarfijn uitleggen dat ze geen interesse had.

Iris moest even wachten op Willem die druk bezig was met het instrueren van de lichtmensen. Er vielen verkeerde schaduwen door het papieren raam en dat moest zo snel mogelijk opgelost worden. Iris keek verveeld naar haar nagels. Ze kon nog steeds niet wennen aan dat wachten op de set. Er was altijd wel wat. Dan het licht, dan het geluid. Soms duurde een opname van vijf minuten een hele dag.

'Vijf minuten break,' riep Willem en zijn stem klonk geïrriteerd. 'Ga maar wat drinken, Iris.'

Iris liep de set af. Ze had dorst en was blij met de kleine onverwachte pauze.

De klapdeuren van de kantine zwaaiden open en Marjolein kwam naar buiten. Iris zag dat ze schrok. 'Geen paniek,' zei Iris lachend. 'Kleine break in verband met het licht.'

Marjolein bleef in de deuropening staan en keek schichtig achterom. 'Wat vervelend. Zeg, hoe is het eigenlijk afgelopen met dat toneelclubje van je?'

Iris bleef staan. Wat was dat nou voor een rare vraag? Ze had Marjolein toch al lang verteld dat ze niet meer meespeelde met de voorstelling. 'Hoezo?'

Marjolein pakte haar arm. 'Ja, zie je...' Ze trok Iris mee terug de gang in. 'Ik maak me zorgen.'

'O?' Iris keek verbaasd.

'Ik... eh... ik wil je beschermen.'

'Waarvoor?'

'Ik zie dat je ermee zit,' ging Marjolein verder.

'Nee, hoor. Ik zit er helemaal niet mee. Integendeel zelfs. Hier is het toch veel gezelliger.'

Marjolein glimlachte. 'Ja, dat is waar. We hebben het echt getroffen met elkaar, hè?'

Iris knikte. 'Het klinkt misschien cliché, maar hier snappen ze hoe het is om in de belangstelling te staan.' Ze keek Marjolein dankbaar aan. 'Wij begrijpen elkaar.' Ze lachte schamper. 'Behalve Pim dan,' mompelde ze er zacht achteraan.

Ze wilde naar de kantine lopen, maar Marjolein hield haar tegen. 'Luister, ik snap hoe je je voelt.'

Iris keek naar de kantinedeur en bedacht dat ze nu toch wel wat wilde drinken. Maar ze kreeg geen kans. Marjolein praatte maar door. 'Soms kun je je vergissen in mensen.'

'Precies,' zei Iris. 'En nu ga ik wat drinken, voordat de pauze voorbij is.' Ze stapte resoluut bij Marjolein vandaan en duwde de klapdeuren open.

'Iris, wacht!' De stem van Marjolein vervaagde toen Iris Pim zag staan. Hij was niet alleen. Debby stond bij hem, of liever gezegd, hing aan hem. Haar lichaam had zich om hem heen gekronkeld en haar mond leek vastgeplakt aan zijn lippen. In een flits zag Iris dat de kantine, op deze twee kronkelende mensen na, leeg was. Zelfs de jongen achter de bar was even weg. Pim en Debby dachten het rijk alleen te hebben.

Iris stond aan de grond genageld.

'Ik probeerde je nog te waarschuwen,' siste Marjolein achter haar.

Iris deed een stap naar achteren en liet de deuren voorzichtig dichtvallen. 'Jij wist dit?'

Marjolein keek beschaamd naar beneden. 'Zo ongeveer. Ik liep weg uit de kantine omdat ik even te veel was. En toen kwam ik jou tegen.' Ze keek door de kier van de klapdeuren naar de hevig zoenende Debby en Pim. 'Ik wilde je beschermen. Na gisteravond...'

'Dus jij weet wat er gisteravond gebeurd is?' Iris' stem klonk verontwaardigd.

Marjolein knikte. 'Ja, waarom denk je dat Debby jou zat op te fokken de afgelopen weken? Ze wilde Pim voor zichzelf.'

Iris greep Marjolein bij haar arm. 'Waarom zei je niets?'

Marjolein haalde haar schouders op. 'Zo gaan die dingen nu eenmaal.'

Iris liet haar los. 'Mooie vriendin ben jij.'

'Doe niet zo naïef,' zei Marjolein pinnig. 'Vriendinnen bestaan niet in de filmwereld. Daar kom je nog wel achter.' Ze wachtte even. 'Eén advies: doe gewoon of je neus bloedt.' Ze draaide zich om en liep weg.

Iris bleef verslagen staan. In één klap was haar hele wereld compleet verwoest. Debby die haar al wekenlang voorloog over Pim, Marjolein die het al die tijd gewoon wist. Pim die zogenaamd meer dan haar vriend wilde zijn, maar een dag later stond te lebberen met de eerste de beste collega. Wat gebeurde hier? Het was zo onwerkelijk dat ze niet eens wist hoe ze zich moest voelen. Boos? Verdrietig? Teleurgesteld?

'We kunnen weer!' De stem van Willem schalde door de gang.

Iris schrok op uit haar gedachten. 'Eh... ik kom!'

Langzaam liep ze de gang door naar de studio.

Achter haar hoorde ze de klapdeuren opengaan en ze draaide zich om. Ze keek recht in het verhitte gezicht van Pim. Achter hem stond Debby.

'Oeps, betrapt,' giechelde Debby.

Pim lachte niet. Hij staarde naar Iris en iets in zijn ogen deed haar schrikken. Hij was woedend. Waarom? Als er iemand boos moest zijn, was zij het wel.

'Laat haar toch,' zei Debby zacht, maar Pim deed een stap naar voren. 'Wat een achterbakse streek,' siste hij.

Iris snapte er niets van. 'Wat bedoel je?' vroeg ze.

'Ik dacht dat ik je kon vertrouwen. Ik dacht dat jij anders was.'

'Anders?' Iris fronste haar wenkbrauwen.

Pim kwam dichterbij. 'Je hebt alles doorverteld.'

'Wat?' riep Iris.

'Alles.'

'Hoezo? Man, wat beweer je nou?'

Pim hief zijn hand en prikte met zijn wijsvinger in de lucht in de richting van haar gezicht. 'Wat dacht je? Kom, ik vertel alles wat Pim mij in vertrouwen verteld heeft eens lekker door aan de eerste de beste collega.'

'Ik… ik snap niet wat je bedoelt.' Ging dit over haar? Wat had ze doorverteld?

'Nog een geluk dat het Debby was,' ging Pim verder. 'Zij weet zoiets op waarde te schatten.' Hij sloeg zijn arm om Debby heen. 'Haar kan ik tenminste vertrouwen. Ik ben gewoon stom geweest om haar te laten schieten voor… voor…' Zijn minachtende blik maakte

Iris bang. 'Voor zo'n achterbaks schepsel als jij.'

Debby glimlachte en langzaam drongen de woorden van Pim tot Iris door. Dus dat was het! Debby had hem op een slinkse manier wijsgemaakt dat Iris haar al zijn geheimen had verteld. De paar zinnen die ze gisteravond in het toilet over zijn verleden had losgelaten, en zijn liefdesverklaring waren voor Debby genoeg geweest om Pim om de tuin te leiden. En van wat ze uit zijn woorden begreep, had hij het uitgemaakt met Debby om haar. Debby had gelogen. Haar verhaal dat Pim geen kans bij haar had gemaakt, was niet waar. Ze hadden wel degelijk iets gehad met elkaar.

In een flits zag ze de brede grijns van Debby en ze wist dat ze hier niet tegenop kon. Debby had het spel uitstekend gespeeld. Wekenlang had ze zich voorgedaan als haar vriendin zonder dat Iris iets had doorgehad. Hoe geraffineerd kon je zijn?

'Het spijt me,' stamelde Iris. Lamgeslagen draaide ze zich om en liep de gang in naar de studio.

PS, I Love You

Regisseur: Richard LaGravenese
Jaar: 2007
Genre: Drama/Romantiek
Cast: Hilary Swank en Gerard Butler
Holly is kapot van het overlijden van Gerry. Ze treurt
wekenlang. Op een dag krijgt ze een brief in Gerry's
handschrift. Hij schrijft dat dit de eerste van zijn
twaalf maandelijkse brieven is met instructies die ze
moet opvolgen. Holly beleeft een jaar vol avonturen,
van karaokeavonden met vrienden tot een reis naar
Ierland. Allemaal zorgvuldig voorbereid door haar
overleden Gerry.

Gelukkig hoefde ze zondag niet te draaien. Het was
de somberste dag ooit. Buiten was alles grauw, grijs en
nat. De regen kletterde tegen de ramen. Binnen bleef
het ook niet droog. Iris wist niet dat ze zoveel tranen
kon produceren in één etmaal. Om haar ouders niet

ongerust te maken bleef ze zo lang mogelijk in bed liggen.

Tegen één uur kwam ze de huiskamer in. In pyjama en met een wazige blik meldde ze haar ouders dat ze zich niet zo lekker voelde en maar in bed bleef. Het zogenaamde griepje werd geaccepteerd. Met een grote kop thee verdween ze weer naar haar kamer.

De hele verdere dag en avond dacht ze na over haar enorme blunders. Alles was ze kwijt. Haar oude vrienden, de toneelvereniging, haar klasgenoten; ze had ze ingeruild voor haar nieuwe job en haar nieuwe collega's. Zomaar, zonder zich af te vragen of het het waard was. Nou, het had nul komma nul waarde gehad.

Zonder na te denken had ze haar oude vertrouwde leventje ingeruild voor nieuwe vrienden. Gebaseerd op wat? Dat Debby aardig was voor haar? Was ze zo gemakkelijk te manipuleren? Was dat het?

Iris kon het niet geloven. Haar beoordelingsvermogen was niks meer waard. In haar onzekerheid dacht ze terug aan al die jaren op de basisschool. Logisch eigenlijk dat ze gepest werd. Ze had gewoon geen ruggengraat, ze waaide met alle winden mee. Iedereen die aardig deed, was een vriend. Zo was het altijd gegaan. Ze realiseerde zich dat ze haar vrienden nooit zelf had uitgekozen. Haar afwachtende houding maakte dat ze veel verschillende vrienden had. Maar... waren het wel haar vrienden?

Hoe langer ze erover nadacht, hoe meer ze aan zichzelf begon te twijfelen. Wat verstond ze onder vriendschap? Misschien zat daar wel het probleem. Iemand die aardig tegen je doet, is die meteen een vriend?

Nee, dus! Debby bleek een kreng, Arja een meeloper en Dez... Ze dacht aan Dez. Zijn krullen en lachende gezicht stonden op haar netvlies gebrand. Dez was een echte vriend voor haar geweest. Hij had haar gewaarschuwd, maar ze had niet geluisterd. Ze had hem zomaar gedumpt voor... ja, voor wat? Tot 's avonds laat bleef ze malen, totdat ze eindelijk in slaap viel.

De volgende morgen kwam haar moeder haar wekken. 'Iris? Hoe is het met je?'

Iris voelde een warme hand op haar voorhoofd en kreunde. Haar moeder ging op de rand van haar bed zitten. 'Moet ik je ziek melden?'

'Ja, doe maar,' mompelde Iris.

'Ik heb een kopje thee naast je bed gezet,' ging haar moeder verder. 'Met een beschuitje. Papa is al naar zijn werk en ik ga nu ook. Ik ben vanmiddag weer thuis, goed?'

Iris voelde de lippen van haar moeder op haar wang. 'Blijf maar lekker in bed. Tot straks.'

'Ja, tot straks, mam.' Iris kroop nog dieper onder haar dekbed.

'Vergeet je thee niet!'

'Nee, doei.'

Haar slaapkamerdeur ging dicht en ze hoorde haar moeder vertrekken. Iris keek op haar klok. Het was half acht. Heel even overwoog Iris om toch naar school te gaan. Als ze snel was, redde ze het nog net. Maar haar lichaam weigerde. Eén dagje vrij kon geen kwaad, toch?

Diep vanbinnen wist ze dat het uitstel van executie was. Eens moest ze weer naar school en vrijdagavond... Ze zuchtte en sloot haar ogen. Als ze toch thuis bleef, kon ze net zo goed nog even gaan slapen.

Rond elf uur werd Iris wakker. Ze had niet lekker geslapen en gelijk drong de onrust zich weer op. Vrijdagavond, dan waren er weer opnames. Met Debby, Marjolein, Pim... Ze kon moeilijk wegblijven.

Iris ging rechtop zitten en zette haar radio aan. Weglopen deed ze haar hele leven al. Dez had gelijk. Afwachten en verdwijnen als het moeilijk werd, dat was haar specialiteit. Wat was ze voor een slapjanus?

Ze sloeg haar armen over elkaar en luisterde naar de stem op de radio. Ze herkende hem meteen. Marco Borsato was een van haar favorieten. Ze hield van zijn ballads en kon heerlijk wegdromen bij zijn warme stem.

Iris glimlachte. Ook daar was ze nooit openlijk voor uitgekomen. Als er al mensen vroegen naar haar muzieksmaak, dan had ze altijd iets stoers genoemd, zoals Coldplay of een of andere dj. Alleen Dez wist dat haar iPod volstond met Nederlandstalige nummers. Ze had hem gesmeekt om het geheim te houden en Dez had woord gehouden.

Nu ze erover nadacht, had Dez haar eigenlijk nooit

belazerd. In al die jaren was hij alles over haar te weten gekomen, maar nog nooit had hij daar misbruik
van gemaakt. Zelfs niet als hij boos was.

Iris pulkte aan haar dekbed. Ze had zichzelf, maar
ook de mensen van wie ze hield al die jaren voor de
gek gehouden. Haar mening was de mening van anderen geweest. Haar acties waren gericht op wat anderen wilden. Niets, maar dan ook niets kwam echt
vanuit haar zelf, behalve dan haar passie voor acteren.
Daar was ze mee geboren, dat droeg ze als vanzelf met
zich mee. Maar verder? Waar ging ze verder nog voor?
Waar stond ze voor? Wie was Iris Hoogstraten eigenlijk?

'Wie ben ik?' fluisterde ze zacht. 'Wat wil ik?'

Iris sloot haar ogen en luisterde naar de woorden
die werden gezongen

Het leven is al veel te kort
ja, en alleen is maar alleen

Ze was alleen, ja. Nu zeker! Maar zelfs toen ze niet alleen was, voelde ze zich alleen. Het drong langzaam
tot haar door. Ze was haar hele leven al alleen geweest. Haar ogen prikten en ze voelde een traan over
haar wang naar beneden glijden.

Dus droom, durf, doe en deel met iedereen

Dromen deed ze genoeg. Haar hele leven was een

droom geweest; een droom die ze zelf gecreëerd had en die gisteren als een zeepbel uit elkaar was gespat. Dromen waren bedrog.

Sluit je ogen een seconde
zet een lach op je gezicht
geniet maar even van het donker,
het wordt vanzelf wel weer licht

Iris sloot haar ogen en tilde haar mondhoeken op. Het donker was niet om te genieten. Het deed zeer. Alle beelden flitsten voorbij. Debby die lachend achter Pim stond, Dez met zijn gekwetste blik, Hans die haar afwees, Arja die haar rol overnam, Senna's gemopper en al haar klasgenoten die met haar pronkten.

Geschrokken opende ze haar ogen en de gezichten verdwenen. Ze dwong zichzelf te denken aan de mooie momenten. Het giechelen met Debby, Pim die haar kuste, Dez met zijn armen om haar heen, Hans die haar complimenteerde, Arja's prachtige stem, Senna die samen met haar huiswerk maakte, en de gezelligheid in de klas als er gelachen werd.

Iris glimlachte. Vanaf nu zou ze alles heel anders aanpakken. Zij was Iris Hoogstraten en ze had de touwtjes in handen. Ze zou zich niet meer laten leiden door anderen. Zij bepaalde wat ze dacht, voelde en deed! Ze zat op haar dieptepunt; het kon alleen maar beter worden.

Terwijl ze van haar thee slurpte, voelde ze haar lichaam gloeien. Zij had zichzelf in de nesten gewerkt, ze moest het ook zelf oplossen. En dat ging ze doen. Vandaag nog.

Op dat moment ging haar telefoon. Iris keek op het display en aarzelde. Kon ze dit? Haar ringtone klonk indringender dan daarnet. Resoluut nam ze op. 'Met Iris.'

'Hi, met Dez.'

'Ja, ik zag het.' Iris perste haar lippen samen. Wat een nietszeggende tekst.

'Ben je ziek?'

'Eh... ja.' Ze wachtte even en bedacht dat dit niet echt als de nieuwe Iris klonk. 'Nee,' zei ze er direct achteraan. 'Ik heb een baaldag.'

'O.'

Het bleef even stil aan de andere kant van de lijn en Iris hoorde het geroezemoes van de school. Ze keek op haar klok en bedacht zich dat het pauze was.

'Mis ik wat?' vroeg ze.

'Niet echt,' antwoordde Dez. 'Of je moet mij missen.'

Iris wist niet zo goed of hij nu een geintje maakte of niet. Maar maakte dat wat uit? Het ging er toch om hoe zij het voelde? 'Ja, ik mis je,' zei ze zacht. 'Kan ik het goedmaken?'

Dez zei niets, maar Iris wist dat hij nu grijnsde. Dat deed hij altijd als ze bij hem slijmde.

'Ik meen het, Dez! Mijn hele leven is een puinhoop en –'

'Ho, zeg! Jij durft. Je hebt je filmrol, een knappe acteur die gek op je is, een goed rapport, ouders die achter je staan en een geweldig uiterlijk. En jouw leven is een puinhoop?'

Iris zweeg. De woorden van Dez kwamen hard aan. Hij had gelijk. Ze had alles wat haar hartje begeerde. Waarom voelde het dan niet zo?

'Weet je, Iris,' ging Dez verder. 'Ik hoorde dat je ziek was en ik was bezorgd. Je bent nooit ziek.'

'Dez, ik –'

'Nee, luister nu even naar mij.' Dez' stem klonk verontwaardigd. 'Je gedraagt je als een klein, verwend kind. Besef jij eigenlijk wel wat je allemaal hebt?'

'Ja, Dez! Dat besef ik. Waarom denk je dat ik thuis ben? Ik schaam me kapot.' Ze voelde haar ogen prikken. 'Echt, ik weet het, maar ik…' Nu moest ze slikken. 'Ik besef heel goed wat ik allemaal heb kapotgemaakt. Door mijn verkeerde keuzes ben ik mijn echte vrienden kwijtgeraakt.' Ze veegde een traan uit haar ooghoek en duwde haar tong hard tegen haar gehemelte. Ze had ooit eens gehoord dat je zo niezen en huilbuien kon tegenhouden. Het hielp niet echt. De tranen stroomden over haar wangen en drupten op haar pyjama.

'Iris?'

'Ja?' Haar stem trilde en ze wist dat Dez het hoorde.

'Ben je alleen thuis?'

'Ja, hoezo?'

Het was even stil aan de andere kant van de lijn.

154

'Dez?'

'Geen gekke dingen doen. Ik kom eraan.'

'Nee, dat hoeft niet. Je –' Iris hoorde de bezettoon en liet haar arm zakken. Dez had de verbinding verbroken.

Iris sloeg haar dekbed van zich af en liep naar de badkamer. Dez kwam eraan. Ze bekeek zichzelf in de spiegel. Ze zag er niet uit. Help! Zo wilde ze Dez niet onder ogen komen. Ze draaide de warmwaterkraan open en trok haar pyjama uit. De hete stralen van de douche deden haar goed. Ze spoelden al haar tranen weg.

Nadat ze zich had afgedroogd, föhnde ze haar haren en kleedde ze zich aan. Net toen ze in haar sokken schoot, ging de bel. Wat onzeker liep ze naar beneden. Wat moest ze zeggen? Zag ze er wel een beetje uit? Hoe moest ze reageren?

Ze opende de voordeur en twee sterke armen omarmden haar. Haar hoofd werd leeg en ze kon niets anders meer bedenken dan dat dit goed voelde.

'Iris toch,' fluisterde Dez en hij wreef over haar rug.

Een paar seconden bleven ze zo staan. Dez met zijn armen om haar heen en Iris met haar hoofd weggedoken in zijn trui.

'Kom, we gaan naar binnen,' zei Dez.

Iris maakte zich los uit zijn omhelzing en liep de gang in. Dez sloot de deur en samen liepen ze naar de huiskamer.

'Eh… wil je iets drinken?' Iris veegde zenuwachtig

155

met haar handen langs haar shirt. 'Thee of fris?'

Dez schudde zijn hoofd. 'Ik wil dat je naast me komt zitten en vertelt wat er is.' Zijn woorden klonken dwingend. Iris schoof naast hem op de bank. Het voelde vertrouwd. Hoe vaak hadden ze hier samen niet gezeten? Televisie kijkend, kletsend, lachend... Als kleuter hadden ze in deze kamer samen gespeeld, ze hadden huiswerk gemaakt en waren naar dezelfde school gegaan.

'Je ziet er niet uit,' zei Dez.

'Dank je,' antwoordde Iris en ze glimlachte. Ze wisten allebei dat het goed was.

'Wil je erover praten?' Dez grijnsde. 'Ik hoop niet dat ik voor niets spijbel.'

Iris had geen idee waar ze moest beginnen. Het was allemaal zo verwarrend. En het was niet eens iets wat gebeurd was; het was meer alles bij elkaar. Haar eigen gevoel. Hakkelend en stotend kwamen de woorden eruit. Dez luisterde aandachtig en gaf haar alle tijd. Hoe meer Iris vertelde, hoe beter ze het voor zichzelf een plaats kon geven. Alleen al het praten over haar gevoelens zorgde voor rust.

'Ik wil het dus anders gaan doen,' besloot ze haar verhaal. 'Maar ik heb geen idee hoe.'

Dez streek een lok uit haar gezicht. 'Volgens mij ben je al begonnen.' Hij glimlachte. 'Weet je dat je voor het eerst van je leven hardop zegt wat je echt voelt?'

Iris boog haar hoofd. 'Ja, dat weet ik.' Ze pakte Dez' hand. 'Daarom ben ik ook zo jaloers op jou. Jij zegt altijd meteen wat je denkt.'

Dez schoof dichter naar haar toe. 'Dat is niet helemaal waar.' Hij aarzelde. 'Ook ik heb zo mijn geheimen.'

Iris fronste haar wenkbrauwen. 'Jij? Geheimen?' Ze was oprecht verbaasd. 'Vertel op!' Ze lachte. 'Of mag ik het niet weten?'

Dez sloeg zijn ogen neer.

'O, sorry,' zei Iris. 'Daar ga ik weer. Natuurlijk hoef ik het niet te weten. Laat maar, ik ben weer eens aan het drammen. Sorry, sorry, sorry!'

'Geeft niet,' zei Dez. 'Ik moet het toch een keer kwijt.' Hij haalde diep adem. 'Ik wil graag dat je het weet.'

Iris werd nieuwsgierig. Wat kon Dez nu voor geheim hebben? Hij was altijd zo'n open boek voor haar. Ze had hem de laatste tijd niet zo gesproken, dus het moest iets recents zijn.

'Iris...' Dez' stem klonk hees.

'Zeg het eens,' grapte Iris. Ondertussen draaiden haar hersenen op volle toeren. Wat was er zo geheim dat hij het nog nooit verteld had? Viel hij op jongens? Was dat het? Of had hij iets gestolen?

'Ik ben verliefd.'

De woorden kwamen toch nog harder aan dan ze verwacht had. Iris dacht terug aan het moment in het theater toen ze zijn arm om Arja's middel had gezien. 'Eigenlijk wist ik het al,' zei ze zacht.

Dez keek verbaasd. 'Echt?'

Iris knikte. 'Zoiets voel je toch? Je bent mijn vriend!'

Dez haalde duidelijk opgelucht adem. 'Daarom juist.'

'Het geeft niet,' zei Iris. 'Als je iemand leuk vindt, moet je dat gewoon zeggen.'

'Ja, dat weet ik, maar soms ligt het wat gevoelig.'

'Dan nog,' zei Iris. Ze was blij voor Dez, maar ergens diep vanbinnen was ze jaloers op Arja. 'Ik wil de vriendschap niet kapotmaken,' vervolgde Dez.

'Dat snap ik.'

'Als je zo lang vrienden bent, dan is verliefd-zijn toch een risico.'

Iris knikte. 'Ja, maar als je niet eerlijk bent tegen jezelf, maak je jezelf doodongelukkig. Dat heb ik nu wel geleerd.' Ze glimlachte. 'Ik ben blij voor je. Als dit is wat je wilt.'

Dez keek verbaasd. 'Maar jij? Wat voel jij?'

'Ik?' Iris haalde haar schouders op. 'Doet dat ertoe?'

'Ik dacht het wel,' zei Dez. 'In mijn eentje verliefd-zijn werkt niet echt.'

Iris boog haar hoofd. 'Ik snap dat je mij ook gelukkig wilt zien, maar ik ben niet verliefd op Pim.'

'Wat heeft die er nu mee te maken?' Dez keek verontwaardigd.

'Je vraagt me wat ik voel,' reageerde Iris. 'En of ik ook verliefd ben.'

'Ja,' zei Dez en hij schoof dichter naar Iris toe. 'Ik wil weten of je meer voor mij voelt dan alleen vriendschap.'

158

'Voor jou?' Iris hapte naar adem. 'Maar Arja dan?'

'Arja?'

'Ja, je bent toch verliefd op Arja?'

Dez schoot in de lach. 'Nee hoor, hoe kom je daar nu bij?'

'Maar...' Iris schrok. 'Bedoel je...'

Dez haalde diep adem. 'Ik ben verliefd op jou, gekkie. En ik wil heel graag weten of jij dat ook voor mij voelt.'

'Ik...' Iris was helemaal van slag.

'Zal ik je een beetje helpen?' Zonder haar antwoord af te wachten boog hij voorover en kuste haar. Zijn lippen raakten haar mond zo zacht, dat er een rilling door Iris heen ging. Ze weerde hem niet af. Ze kon niet anders dan zijn kus beantwoorden.

Ze sloeg haar armen om Dez heen en trok hem dichter naar zich toe. Deze kus mocht nooit meer stoppen. Haar buik tintelde. Ze had het altijd onderdrukt, het nooit een naam gegeven, maar diep vanbinnen had ze het al die tijd geweten. Hoe heftiger ze het had ontkend en hoe feller ze had gereageerd op de aanrakingen van Dez, hoe dieper het gevoel zich had genesteld.

Ze had het diep weggestopt. Niet alle dromen komen uit, toch? Door zich te concentreren op haar acteerdroom, ontkende ze haar andere droom: dat ze verliefd was op Dez en hij op haar. Ze vertrouwde hem, ze kon met hem lachen en huilen. Hij was er altijd voor haar en ze voelde zich goed als hij in de buurt was.

Dez liet haar heel even los. 'O, Iris…' Zijn woorden klonken gejaagd. Nog voordat Iris iets kon zeggen, zoende hij haar weer. Ze liet zich achterovervallen op de bank en trok Dez met zich mee. Spijbelen was nog nooit zo leuk geweest.

Alles is liefde

Regisseur: Joram Lürsen
Jaar: 2007
Genre: Komedie
Cast: Anneke Blok en Carice van Houten
Alles is Liefde is een romantische komedie over de
liefdesperikelen van zes koppels die erachter komen
dat liefde de basis is van het bestaan. Maar liefde is
als Sinterklaas, je moet erin geloven, anders wordt het
niks.

Die dinsdagochtend voelde vreemd. Opstaan, naar school, de klas in lopen, iedereen begroeten, kletsen met Dez... Hoe vaak had ze dat de afgelopen jaren niet gedaan? Achteloos, zonder na te denken. Maar vandaag was het anders. Dez was verliefd op haar en liet dat merken ook.

Nog voordat ze op haar plaats zat, stond hij bij haar. 'Lekker geslapen?' vroeg hij zacht, terwijl hij zijn ge-

161

zicht in haar haren duwde.

'Gaat het, Dez?' De stem van Malid klonk lacherig. 'Pas maar op dat je niet boven op haar valt.'

Iris zag dat een paar klasgenoten keken en werd onrustig. Ze draaide haar hoofd, zodat Dez een stap naar achteren moest doen. Heel even kruiste ze zijn blik en de onrust verdween.

'Aanval is de beste verdediging,' had Dez gister-avond gezegd en hij had gelijk. Ze wilde zich niet meer verschuilen achter smoesjes en uitvluchten. Gewoon de waarheid zeggen als dat nodig is en staan voor je eigen mening.

'Jaloers?' zei ze op een vragende toon.

Er werd gelachen en Malid mompelde wat onver-staanbaars.

'Sorry, ik versta je niet,' zei Iris. Voor het eerst van haar leven voelde ze zich sterk. Het werkte! Die stoere, plagende Malid was duidelijk verlegen.

'Rot op!' Met een boos gebaar liep Malid naar zijn tafel.

Er klonk gefluister en hier en daar werd gegrinnikt.

Dez gaf Iris een knipoog. 'Ik geloof dat Malid de boodschap begrepen heeft.'

'Moet jij nodig zeggen,' riep Malid pissig. Hij pro-beerde stoer te doen door de anderen van de klas la-cherig aan te kijken. 'Man, hoe lang loop jij al om haar heen te draaien? Maar iets bereiken? Ho maar!'

Iris merkte dat Dez terrein verloor en kwam naar voren. 'Malid, kappen!' Ze pakte Dez' hand vast. 'Dez en ik...' Ze stokte en het werd doodstil in de klas.

'Ja?' Malid grijnsde. 'Zijn vrienden? Maar dat weten we al jaren, hoor.'

Iris had het helemaal gehad met het kinderachtige gedoe van Malid. Met een snelle beweging sloeg ze haar armen om Dez heen en kuste hem vol op zijn mond. Dez reageerde direct en zoende terug. Het gejoel en gefluit op de achtergrond was niet te missen.

Eindelijk lieten ze elkaar los en er werd geklapt. Iris voelde het bloed naar haar hoofd stijgen, maar keek trots in het rond.

'Nou, dat is duidelijk,' riep Jort. 'Kansen verkeken, Malid.'

Malid mompelde wat onverstaanbaars en ging zitten.

De leraar Duits kwam de klas inlopen. *'Guten Morgen!'*

Iedereen ging zitten.

'Weer beter?' Senna, die gelijk met de leraar de klas in was komen lopen, smeet haar tas op tafel en ging zitten.

'Eh... ja,' zei Iris.

'Ze was niet ziek,' zei Dez die achter hen zat.

'Niet?' Senna keek verbaasd.

Iris wierp een felle blik op Dez, maar ze wist dat hij gelijk had. Ze moest het met Senna uitpraten.

De leraar stond bij het bord en vroeg om stilte.

'Ik leg je straks alles uit, goed?' fluisterde Iris. 'In de pauze.'

De les was saai en Iris was dan ook blij toen de bel ging. Terwijl de rest van de klas bij elkaar kroop in de kantine, nam Iris Senna even apart. Wat ze te vertellen had, ging de rest niets aan.

Dez bracht twee bekertjes thee naar hen toe die hij zojuist aan de bar gehaald had, en gaf Iris een knipoog. 'Zet 'm op.' Hij verdween naar zijn klasgenoten.

Senna blies wat stoom boven haar bekertje weg. 'Klinkt ernstig,' zei ze.

'Welnee.' Iris haalde diep adem en vertelde over haar afscheid bij het theater, het gestook op de set, de aandacht van Pim en de actie van Debby. 'Kortom, ik zat niet lekker in mijn vel en daarom reageerde ik misschien een beetje te.'

Senna had al die tijd niets gezegd, maar kon zich nu niet meer inhouden. 'Te?' zei ze. 'Dat kun je wel stellen, ja! Weet je hoe rot ik me gevoeld heb?' Senna zette haar bekertje neer en vouwde haar handen. 'Je liet je helemaal meeslepen door al die aandacht. Je vertelde sterke verhalen, sloofde je uit en had geen idee hoe irritant je bezig was. Toen ik je wilde waarschuwen, noemde je mij jaloers.'

'Het spijt me,' zei Iris. 'Echt, ik liet me meeslepen.' Ze boog haar hoofd. 'Maar ik heb mijn lesje wel geleerd. Die Debby heeft me keihard met mijn kop tegen de muur laten lopen.'

'Misschien was dat wel ergens goed voor,' zei Senna. 'Want ik kon je niet meer bereiken.'

'Ik ben er met open ogen ingetuind,' stamelde Iris. 'En Pim ook.'

'Die Pim is geen haar beter,' zei Senna. 'Als hij echt gek op je was, had hij Debby niet zo makkelijk geloofd.'

'Dat is waar.' Iris nam een slok van haar thee.

'Zet hem uit je hoofd,' ging Senna verder. 'Die gladjoekels kun je niet vertrouwen. Dat acteerwereldje is één groot matras.' Ze lachte. 'Niets voor jou, toch? Zoek een jongen die niet acteert.'

'Te laat.'

'Hoezo?'

Iris glimlachte. 'Ik ben smoorverliefd op de leukste, de liefste en de knapste acteur van Nederland. Wat zeg ik, van de wereld.'

Senna zuchtte. 'Daar gaan we weer. Als je maar niet denkt dat ik je deze keer uit de brand help. Wie is het? Ken ik hem?'

Iris knikte.

'Een soapie?'

'Nee.'

Senna haalde haar schouders op. 'Laat ook maar. Ik hoop dat je heel gelukkig wordt, als je mij er maar buiten laat.'

'Het is Dez,' siste Iris.

'Wat?' Senna draaide zich om en keek naar het groepje klasgenoten achter haar. 'Onze Dez?'

'Ja.'

'Sinds wanneer?' Senna boog voorover. 'Wat heb ik allemaal gemist. Vertel op.'

Iris lachte. Zo kende ze haar vriendin weer. In geuren en kleuren vertelde ze hoe Dez haar gisteren had opgezocht en voor haar had gespijbeld. Senna smulde. 'Zoent-ie lekker?' vroeg ze toen Iris klaar was met haar verhaal.

'Gaat je niets aan.' Iris grijnsde en ze was blij dat alles weer goed was tussen hen.

De week vloog om. De sfeer was goed op school en Iris had zich nog nooit zo ontspannen gevoeld. Tot vrijdagmiddag. Iris merkte dat ze opzag tegen de avond. Ze moest draaien en het was nog wel een scène met Pim en de meiden samen. Het liefst had ze zich ziek gemeld, maar Dez had haar gezegd dat dat alleen maar uitstel van executie was. 'Er is toch niets gebeurd?' had hij eraan toegevoegd. 'Laat ze!'

Iris wist dat hij gelijk had, maar ze vond het moeilijk om Debby en Pim onder ogen te komen. Het voelde als een afgang. Ze was zo naïef geweest.

'Helpt het als ik met je meega?' vroeg Dez toen ze tegen vier uur naar het fietsenhok liepen.

'Nee,' antwoordde Iris. 'Jij moet vanavond naar het theater.'

'Jij gaat voor,' zei Dez. 'Als jij denkt dat het helpt, meld ik me gewoon een keertje ziek.'

Iris schudde haar hoofd. 'Dat is lief van je, maar ik moet dit alleen doen.'

'Oké,' zei Dez. 'Top van je!' Hij gaf haar een kus op haar voorhoofd. 'Maar ik bel je, goed?'

Iris was blij met Dez' steun. Met een gespannen gevoel fietste ze naar huis en tot aan het avondeten was ze stiller dan anders. Haar ouders weten het aan haar verliefdheid.

'Je moet wel wat eten, schat,' zei haar vader met een knipoog. 'Van alleen liefde kun je niet leven.'

'Peter!' riep haar moeder verbolgen. 'Laat haar toch. Weet je nog hoe jij was toen we pas verkering hadden?'

Terwijl haar ouders herinneringen ophaalden over hun eigen verkeringstijd, bedacht Iris wat ze die avond het best kon doen. Dez had gelijk. Er was niets gebeurd. Waar maakte ze zich druk om? Ze ging zich vanavond volledig concentreren op haar rol.

Om acht uur werd Iris door haar vader bij de studio afgezet. 'Bel maar als je klaar bent,' zei haar vader door het halfopen portierraam. 'Dan pik ik je weer op.'

Iris zwaaide en liep de studio binnen. De kleding voor de opnames van vanavond lag al klaar in haar kleedkamer. Iris kleedde zich om en ging naar de make-upruimte.

'Jij bent lekker vroeg.' Janice draaide de stoel en Iris ging zitten.

Terwijl ze over koetjes en kalfjes praatten, kwamen Debby en Marjolein binnen. Iris besloot het heft in handen te nemen. 'Hoi,' zei ze en ze stak haar hand op.

Debby mompelde wat onverstaanbaars terug.

'Goede week gehad?' vroeg Marjolein en ze keek

Iris via de spiegel vragend aan.

'Heel goed,' zei Iris die tot slot nog wat mascara kreeg. Ze probeerde haar gezicht zo stil mogelijk te houden.

'Mooi zo,' merkte Marjolein op.

Iris zag dat Debby wat mokkend in haar stoel ging zitten.

'Let maar niet op haar,' zei Marjolein. 'Ze heeft een dipje.'

Iris keek via de spiegel naar Debby. Ze zag er inderdaad niet echt vrolijk uit. Ze besloot haar aanval in te zetten. 'Hoe gaat het met jou en Pim?'

Debby reageerde door haar lippen stijf op elkaar te persen. Glimlachend stapte Iris uit haar stoel en wenste iedereen een goede avond toe.

'Dat moet lukken,' zei Marjolein die ondertussen ook onderhanden werd genomen door haar visagiste.

De avond verliep verder rustig. Debby en Pim maakten constant ruzie met elkaar en Iris vroeg zich af waarom ze zich zo druk had gemaakt. Ze kon er zelfs om lachen.

Dez belde haar laat die avond op en ze vertelde in geuren en kleuren hoe het was gegaan.

'Ik word toch wel nieuwsgierig naar je collega's,' zei hij en Iris nodigde hem uit om de volgende dag mee te gaan naar de studio. 'Kun je zien waar ik werk.'

Dez reed de volgende ochtend met Iris en haar vader mee naar de studio. Willem vond het leuk om kennis te maken met haar vriend en Dez mocht zelfs op de opnamevloer blijven kijken. Als hij maar achter de camera's bleef.

Dez was onder de indruk van Iris' spel en dat stak hij niet onder stoelen of banken. Trots als een pauw vertelde hij iedereen op de vloer dat Iris zijn vriendin was. Dat ze geweldig was, dat ze het ver zou schoppen, juist omdat ze zo puur was. Iris werd er verlegen van, maar de mensen op de set feliciteerden haar met Dez.

'Een goede vriend is goud waard,' zei Willem en hij keek met een schuin oog naar Pim die Debby van zich af duwde.

Terwijl Willem wegliep, dacht Iris na over zijn woorden. Willem had gelijk. Vrienden waren belangrijk. Je kon er nooit te veel van hebben. Iris glimlachte. Dez en Senna waren haar vrienden, maar hoe zat het met Arja? En Hans? Ze had hun vriendschap zomaar opgegeven. En waarvoor?

'Hé, schoonheid. Wat sta je te dromen?' Dez stond achter haar en sloeg zijn armen om haar heen.

Iris legde haar hoofd tegen zijn schouder. 'Ik wil het goedmaken met Arja en Hans en alle anderen van het theater. Ik heb ze in de steek gelaten.'

'Hoe kom je daar nu bij?' vroeg Dez en hij draaide haar om. 'Je hebt een keuze moeten maken. Dat is heel wat anders.'

Iris schudde haar hoofd. 'Nee, zo voelt het niet.'

Dez gaf haar een kus op haar voorhoofd. 'Als jij denkt dat je iets moet goedmaken, dan moet je dat doen. Het gaat om jouw gevoel.'

169

Iris knikte. De afgelopen dagen had ze veel geleerd, maar vooral dat ze haar gevoel moest volgen. 'Ik ga woensdagavond met je mee,' zei ze toen. 'Ik zie er vreselijk tegen op, maar het moet.'

Die zondag verliep uitstekend. Iris speelde de sterren van de hemel en kreeg veel complimenten van Willem en zijn crew. Met Marjolein kon ze lachen, vooral om het chagrijnige gedoe van Debby en Pim. Iris was blij dat Dez kennis had gemaakt met haar collega's. Nu had hij een beeld bij de verhalen die ze op school vertelde. Dit weekend waren de laatste opnames en zondag aan het eind van de middag gaf Willem aan dat het er allemaal perfect opstond. Iedereen had hard gewerkt. Hij was trots op zijn groep. De montage zou een paar weken duren. Willem wenste iedereen een goede tijd toe tot de première die over een paar weken zou plaatsvinden. Iris nam afscheid van haar collega's en kon het zelfs opbrengen om Debby en Pim een hand te geven. 'Tot op de rode loper,' zei ze.

Ze trok haar jas aan en tekende haar urenlijst af. Dit waren de laatste uren die ze betaald kreeg. Wel jammer dat deze inkomstenbron zou stoppen, maar ze had dan ook behoorlijk wat verdiend de afgelopen weken. Ieder dagdeel dat ze op de set was, kreeg ze uitbetaald. Op advies van Willem had ze een spaarrekening naast haar gewone betaalrekening geopend, waar ze haar verdiensten op bewaarde.

'Voor later,' had hij gezegd. 'Als acteur moet je je inkomsten spreiden. Het is geen gewone job. Soms verdien je gouden bergen, soms verdien je niets. Ga er verstandig mee om.'

Iris had gelukkig geen moeite met sparen. Dat ze nu meer verdiende dan haar klasgenootjes was natuurlijk top, maar het allermooiste was dat ze haar werk leuk vond. Een echte topjob, zeg maar.

De dagen na het weekend verliepen heerlijk relaxed. Iris was behoorlijk populair geworden en ze hield woord. Ze ging die woensdagavond mee met Dez naar het theater en bood haar verontschuldigingen aan. Het feit dat ze zich schuldig voelde omdat ze gekozen had, maakte dat Hans haar een dikke knuffel gaf. 'Zo gaat dat in de artiestenwereld,' zei hij. 'Het leven is niet altijd even fijn. Kiezen kan verschrikkelijk zijn. Dat weet ik als geen ander. Ik waardeer je doorzettingsvermogen en begrijp je keuze, maar vind het natuurlijk wel jammer dat je niet meer in deze voorstelling meespeelt. Maar ja... echte talenten houd je niet lang vast.'

Arja was blij dat Iris er was. Ze had niet zo goed geweten wat ze moest doen, toen Iris was weggegaan. 'Ik dacht dat je boos was.'

'Boos?' riep Iris. 'Tuurlijk niet. Ik was juist heel verdrietig. En ik ben stom geweest. Door afstand te nemen dacht ik dat het probleem was opgelost, maar dat was niet zo.' Iris zuchtte. 'Ik miste jullie zo verschrikkelijk. Vooral de woensdagavonden als ik thuis op de bank hing.'

'En wij hier ploeterden,' zei Arja. 'Ik moest alle teksten van jou overnemen.'

'Hoe gaat het?'

Hans sloeg zijn arm om Arja heen. 'Ze doet het uitstekend. Dit weekend hebben we generale.'

Iris sloeg haar ogen neer. Ze wilde zich niet te veel opdringen.

'Kom je ook?' vroeg Arja.

'Ja,' zei Hans. 'Je bent van harte welkom.'

Iris keek naar Dez die knikte. 'Oké, ik kom.'

Terwijl Hans terugliep naar de coulissen, kwam Dez achter Iris staan. 'En dan heb ik nog een nieuwtje.' Hij drukte Iris stevig tegen zich aan. 'Iris en ik... nou ja, je snapt het wel.'

Arja lachte. 'Wist ik toch!' Ze gaf Dez een knipoog. 'Weet je nog dat ik je moest opbeuren toen Iris afscheid nam? Ik zei toch dat ze je leuk vond.'

Iris fronste haar wenkbrauwen. 'Wist jij dat Dez verliefd op mij was?'

Arja knikte. 'Ja, hij twijfelde of hij het wel moest zeggen. Hij wilde jullie vriendschap niet kapotmaken.' Ze keek naar Dez. 'Ik heb hem gezegd dat hij ervoor moest gaan. En zo te zien heeft hij dat gedaan.'

Iris bleef de gehele repetitie aanwezig en genoot van de avond. Arja deed het uitstekend, ze had Iris' rol goed opgepikt. Hier en daar mompelde Iris wat teksten mee. Ze wist zich nog best veel te herinneren.

Na afloop bracht Dez haar naar huis. Ook hij was blij dat het was uitgepraat. 'Nu hebben we binnenkort twee premières,' zei hij toen ze voor de deur van haar huis stonden. 'Die van jou en die van mij.'

'Je hebt gelijk,' zei Iris. 'Twee keer over de rode loper met jou.' Ze grijnsde. 'Wat verschrikkelijk.'

'Kan ik eindelijk met je pronken,' zei Dez.

Iris schrok. 'O help, wat moet ik aan? Ik wil een goede indruk maken.'

'Nou, reken maar dat je dat doet met mij naast je,' zei Dez.

Iris gromde. 'Je snapt best wat ik bedoel. Wat moet ik nu aandoen?'

'Weinig,' fluisterde Dez en hij kuste haar.

Epiloog

Rode loper voor
Iris Hoogstraten

Amsterdam,

Afgelopen zondag sierde Iris Hoogstraten de rode loper van het DeLaMar Theater tijdens de première van de nieuwste Nederlandse jeugdfilm mzzlmeiden, een film die veel stof heeft doen opwaaien. Met een combinatie van bekend en nog onbekend talent is een kwaliteitsfilm neergezet die niet onderdoet voor bekende megaproducties.

De acteerkwaliteiten van de drie hoofdrolspelers zijn dan ook uitzonderlijk te noemen. Vooral Iris Hoogstraten heeft met haar filmdebuut de weg naar de top ingezet. Nog voordat de film in de Nederlandse bioscopen draait, is er al veel belangstelling voor deze jonge, schoolgaande actrice. Met haar vriendje Dez (ook acteur) aan haar zijde nam ze alle tijd voor het publiek dat in grote getale was komen opdagen. Door kenners worden haar acteerprestaties reeds geroemd en volgens goed ingelichte bronnen, heeft ze al verschillende aanbiedingen voor nieuwe films gekregen. Voorlopig wil ze hierover nog geen beslissing nemen.

In interviews op tv en in bladen geeft Iris aan dat haar hart zowel bij het toneel als bij de film ligt en dat ze graag weloverwogen keuzes maakt. Volgens de regisseur van de film heeft Iris alles in zich om een succesvol actrice te worden.

'Ik wil eerst mijn school afmaken,' zegt Iris als we vragen naar haar toekomstplannen. 'En hopelijk word ik aangenomen op de toneelacademie. Het is begonnen als bijbaantje. Als figurant is het hard werken en weinig verdienen. Maar ik hou van acteren en het zou natuurlijk fantastisch zijn als ik er mijn beroep van zou kunnen maken. Op het toneel of in de film, dat maakt mij niet uit.'